Collection **marabout service**

Rose-Marie de PREMONT
Nicole PHILIPPI

Le guide marabout du dessin

Nicole Philippi a apporté sa collaboration aux pages 211 à 222 (chapitre X et XI) et pages 242-243.

Table et sources de l'iconographie

P. 43 : **G. de la Tour.** *Le songe de St. Joseph.* Musée des Beaux-Arts, Nantes. (Ph. Giraudon).
P. 58 : **E. Degas.** *Danseuse à l'éventail.* Collection particulière. © Sabam — Bruxelles. (Ph. Giraudon).
P. 117 : **Léonard de Vinci.** *Etude de main.* Pinacothèque Ambresienne, Milan. (Ph. Anderson-Giraudon).
P. 131 : **Ecole milanaise, XVIe s.** *Trois études de tête.* Musée Condé, Chantilly. (Ph. Giraudon).
P. 150 : *Mark Twain.* (Ph. U.S.I.S.).
P. 184 : **P.P. Rubens.** *Tête d'âne d'après nature.* Musée Condé, Chantilly. (Ph. Giraudon).
P. 206 : **A. Watteau.** *L'indifférent.* Musée du Louvre, Paris. (Ph. Giraudon).
P. 207 : **E. Delacroix.** *La Marseillaise.* Musée du Louvre, Paris. (Ph. Giraudon).

Une partie de cet ouvrage, tant du point de vue texte que illustrations, a fait l'objet de publications antérieures dans la collection Marabout Flash (n°s 291 et 324).

Les collections **marabout** sont éditées par la S.A. Les Nouvelles Éditions Marabout, 65, rue de Limbourg, B-4800 Verviers (Belgique). — Le label **marabout**, les titres des collections et la présentation des volumes sont déposés conformément à la loi. — Distributeurs en **France** : HACHETTE s.a., Avenue Gutenberg. Z.A. de Coignières-Maurepas, 78310 Maurepas, B.P. 154 — pour le **Canada** et les **États-Unis** : A.D.P. Inc. 955, rue Amherst, Montréal 132, P.Q. Canada — en **Suisse** : Office du Livre, 101, route de Villars, 1701 Fribourg.

Sommaire

Préface

Le dessin, nos lointains ancêtres de la préhistoire le connaissaient déjà qui nous ont laissé de très précieux témoignages d'une flore et d'une faune parfois à jamais disparues. Bien avant l'écriture, l'homme dessinait, il a ensuite utilisé la représentation dessinée des choses comme moyen d'expression avant que l'écriture devienne ce que nous connaissons : une suite de dessins très simplifiés et cependant compréhensibles.

Cette démarche du dessin devenant écriture, nous pouvons l'observer chez l'enfant. Après les premiers «gribouillis», il peut très vite représenter son univers : papa, maman, la maison deviennent autant de signes lisibles par lui et par les autres, avant qu'il ne forme jambages et courbes, avant qu'il n'écrive.

Et nous continuons à dessiner tout au long de notre vie : qu'il s'agisse du petit dessin stylisé que nous fignolons au coin d'une page dans un moment d'énervement ou d'inactivité, qu'il s'agisse du plan que nous traçons pour expliquer un itinéraire particulièrement compliqué, nous tenons souvent la plume ou le crayon en main pour nous expliquer ou pour notre plaisir.

Car le dessin est un plaisir. Il procure même une joie et une satisfaction intenses à celui qui sait y exprimer sa personnalité. C'est pour vous faire partager cette joie que ce guide a été conçu.

Màis on ne s'improvise pas dessinateur et un long apprentissage, des exercices répétés sont nécessaires avant de pouvoir s'asseoir devant un paysage et le croquer, avant de saisir le mouvement fugitif et gracieux d'un animal en pleine course, avant de fixer sur le papier le visage d'un enfant qui sourit.

La méthode que nous vous proposons est progressive : d'abord dessiner des formes simples puis passer aux formes complexes. La réalité, si multiple et variée qu'elle puisse paraître, n'est jamais que l'accumulation plus ou moins ordonnée d'éléments simples. C'est en analysant ceux-ci que vous parviendrez à reproduire l'ensemble. L'observation est donc essentielle pour parvenir à reconstituer ce puzzle.

Nous vous donnons également quelques principes : de physique pour pouvoir ombrer, d'optique pour pouvoir construire une perspective, d'anatomie pour comprendre la corps humain et animal, ses attitudes et ses mouvements, de composition avec les fameuses «divine proportion» et «section d'or». Ces principes, fruits d'un long tâtonnement (rappelez-vous le manque de perspective chez les Egyptiens, l'incapacité des peintres du Moyen Age de représenter un bébé n'ayant pas l'air d'un vieillard,...) ont été érigés par des artistes de l'Antiquité et de la Renaissance. Ils sont là pour vous aider dans votre recherche de l'exactitude.

Différentes techniques, enfin, sont expliquées ici. Il est important de les essayer et les connaître toutes, car on ne dessine pas de la même manière à l'encre de Chine, au fusain ou au crayon. Vous utiliserez l'un ou l'autre de ces matériaux selon le modèle que vous choisirez, selon l'impression que vous voulez rendre, peut-être aussi selon l'humeur d'un moment.

Mais la maîtrise des principes et techniques demande du temps. Vous ne devez pas vous laisser décourager par la maladresse de vos premières œuvres. Très vite, et vous le verrez bien d'ailleurs, votre dessin évolue et s'affine au fil des exercices, votre main devient plus sûre, votre coup d'œil plus rapide et plus précis.

Cet apprentissage pourrait paraître rébarbatif. Cependant il n'en est rien : en apprenant à dessiner, vous partez à la découverte du monde des formes. Et c'est un plaisir d'entrer dans ce monde complexe, de le déchiffrer et de le reproduire. Lorsque vous aurez acquis la maîtrise du dessin et ce style qui n'appartiendra qu'à vous, vous continuerez d'apprendre, car le dessin ouvre ses portes vers d'autres activités artistiques : la caricature, l'illustration mais aussi la peinture, la décoration.

Rose-Marie de Prémont et Nicole Philippi sont toutes deux dessinatrices de métier et nous souhaitons qu'en suivant leurs conseils vous connaissiez la joie que procure la pratique de cet art.

I

Les formes planes

Avant de vouloir courir, il faut pouvoir marcher ! J'ajouterai qu'avant de marcher, il faut d'abord se tenir debout.

Vous qui tenez bien debout, vous trouverez sans doute ce premier chapitre un peu enfantin. Parcourez-le tout de même. Peut-être y trouverez-vous des petits trucs que vous ne connaissez pas, qui s'acquièrent uniquement par l'expérience et qu'on appelle familièrement « les ficelles du métiers ».

Certains se disent incapables de tenir un crayon et pourtant savoir faire un petit croquis est souvent bien utile :
— faire un plan pour aider quelqu'un à trouver une adresse que vous lui avez signalée ou simplement pour trouver son chemin dans un quartier ou une région qu'il ne connaît pas ;
— décrire avec un crayon ce ravissant petit meuble que vous avez vu chez un antiquaire ; ou même cette maison que vous aimeriez acquérir à la campagne ou dans une région plus ensoleillée que la vôtre ;
— retenir plus facilement, mesdames, les détails de cette petite robe que vous avez trouvée si chic dans une boutique ou sur quelqu'un ;
— moins agréable mais plus utile, le croquis expliquant les circonstances d'un accident ou d'un accrochage à un carrefour et que vous devez remettre à l'assurance.

Des exemples de ce genre, on pourrait encore en trouver beaucoup. Alors, prenez un crayon et un papier et installez-vous. Mais comment? Certains ont besoin d'une table bien dégagée, d'autres sont plus à l'aise avec un bloc de dessin sur les genoux ou encore en fixant la feuille sur un chevalet.

Vertical, horizontal ou oblique l'essentiel est de vous sentir «bien», d'avoir le poignet libre et l'envie de réussir.

A main levée

D'instinct, l'enfant dessine. Des formes simples, bien sûr, mais qui l'aident à s'exprimer. Ainsi, le carré devient une table décorée d'un joli bouquet. Le cercle devient une tête. L'enfant pose ce cercle sur un triangle et l'ensemble représente... le portrait de maman, par exemple.

Il est donc inutile d'apprendre ce que vous savez tous faire depuis toujours, mais, connaissez-vous ces petits riens qui peuvent améliorer ce que vous faisiez spontanément?

La ligne droite

Qu'il s'agisse d'une verticale ou d'une horizontale, il est très difficile de savoir si elle est droite sans user de points de repères. Chacun a tendance à faire pencher un objet vers la gauche ou vers la droite (les vases et les pots de Cézanne en sont un exemple).

Comparez donc les lignes tracées, au bord de votre feuille. L'écart du haut vous semble-t-il égal à celui du bas? Appliquez le même principe pour l'horizontale. Eventuellement, retournez votre feuille tête en bas : l'erreur, alors dans l'autre sens, vous frappera d'autant plus fort.

S'il s'agit de tracer une droite sur une grande surface, placez votre crayon à une extrémité de la droite que vous désirez tracer; puis regardez l'extrémité opposée, celle où la droite va aboutir. Laissez partir votre main sans la regarder : votre ligne sera beaucoup plus droite.

Dans tous les cas, faites votre trait d'un seul coup, bien décidé, en vous efforçant d'éviter les hachures. Vous obtiendrez ainsi un trait net, exempt de bavures.

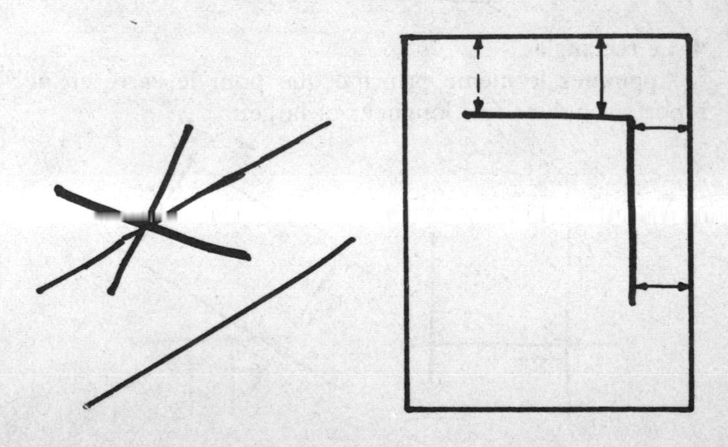

Les formes simples

- **Le carré**

Tracez un premier côté. Si celui-ci est parallèle au bord de la feuille, vous savez déjà de quelle manière il faut procéder. S'il est dans une position quelconque, comment réussir votre angle droit ? Prolongez un des côtés au-delà de l'angle et comparez les deux angles obtenus : vous limiterez déjà les risques d'erreur.

Pour faire les côtés égaux, prenez la mesure choisie pour le premier côté avec l'envers du crayon et reportez-la sur les trois autres.

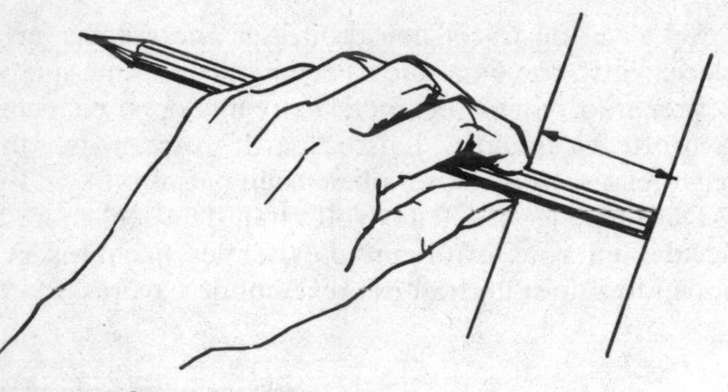

- **Le rectangle**

Appliquez le même principe que pour le carré en ne reportant qu'une fois longueur et largeur.

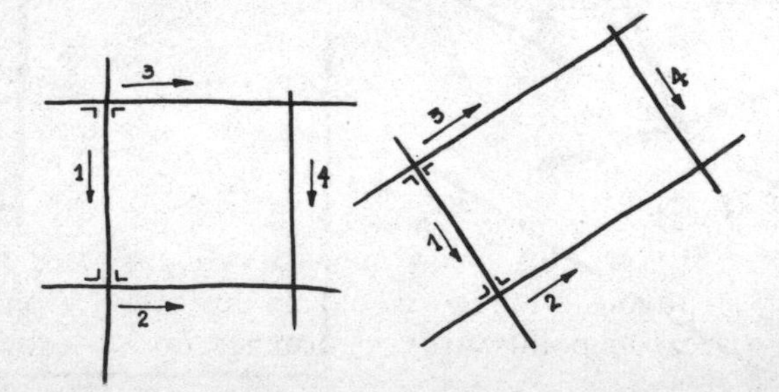

- **Le triangle**

a) S'il s'agit d'un *triangle isocèle ou équilatéral*, commencez par tracer l'axe qui va du sommet au milieu de la base. Tracez celle-ci en reportant une distance égale de chaque côté de l'axe avec l'envers du crayon ; vous tracerez ensuite les deux autres côtés égaux.

b) Pour le triangle *rectangle*, faites d'abord l'angle droit, comme pour le carré.

c) Désirez-vous tracer un triangle quelconque ? Tracez vos lignes en une fois. Si cela vous paraît malaisé, posez d'abord les trois points.

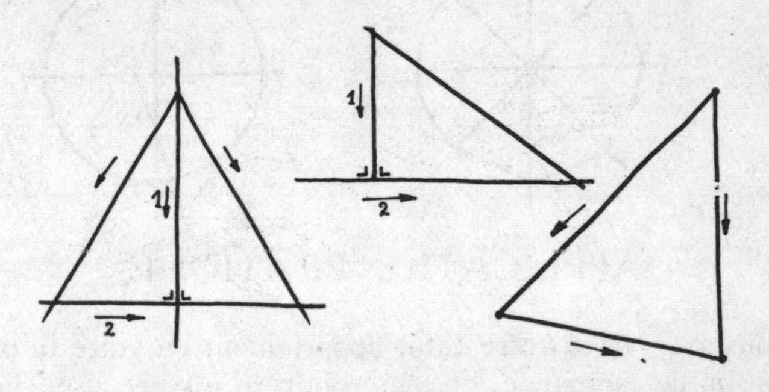

- **Le cercle**

Le peintre italien Giotto aurait été remarqué, enfant, pour avoir fait un cercle parfait à main levée. Mais, il y a très peu de Giotto ! Voici donc un petit truc qui vous permettra de limiter les erreurs.

Tracez deux droites perpendiculaires. Limitez la croix ainsi formée afin d'obtenir quatre branches égales. Dès lors, il ne vous reste plus que quatre quarts de cercle à réussir. Si vous êtes vraiment maladroit, reportez encore quelques rayons à l'aide de l'envers de votre crayon. Plus vous aurez de points à égale distance du centre, moins vous aurez de chances d'obtenir un cercle en forme de poire ou autre…

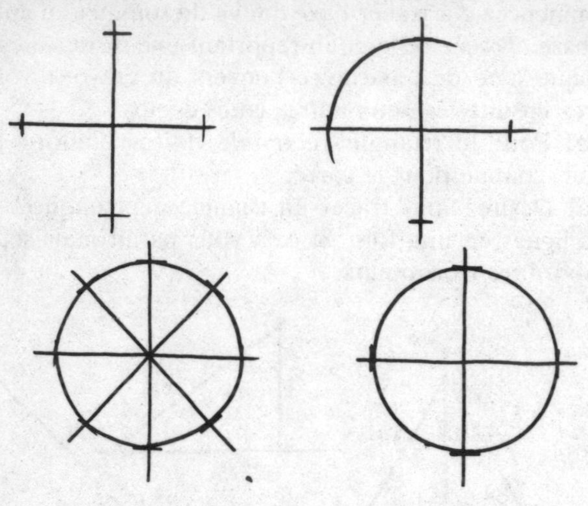

APPLICATION PRATIQUE

Vous avez visité votre futur appartement ou votre future maison de campagne, et vous voudriez, à votre aise, chez

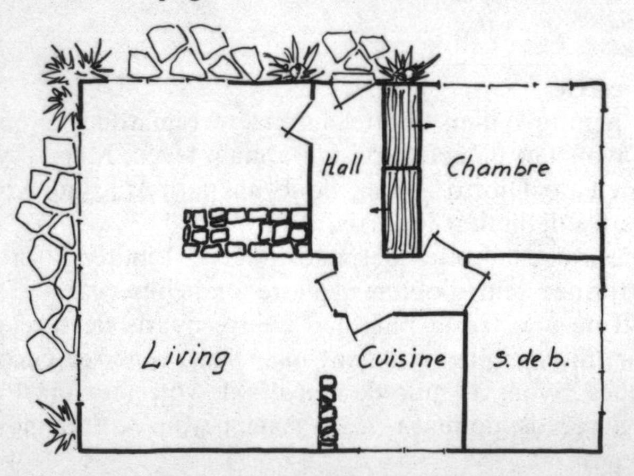

vous, y disposer vos meubles. Il vous faudrait donc un croquis, un plan. Vous n'avez rien sous la main pour le réaliser ? A défaut d'un mètre ou d'une ficelle, il vous reste encore vos pieds.

Mesurez les distances en faisant des pas normaux, de façon à ce qu'ils soient plus ou moins tous les mêmes, et voilà une unité de mesure. Vous avez ainsi un plan tout à fait valable où les proportions sont respectées.

Tracé aux instruments

La perpendiculaire

○ *Couper une droite en deux parties égales par une perpendiculaire.*

Soit une droite AB. Prenez une ouverture de compas supérieure à la moitié. Posez alternativement la pointe sur A et B et tracez deux arcs de cercle qui vont se couper en deux endroits. Joignez ces deux points.

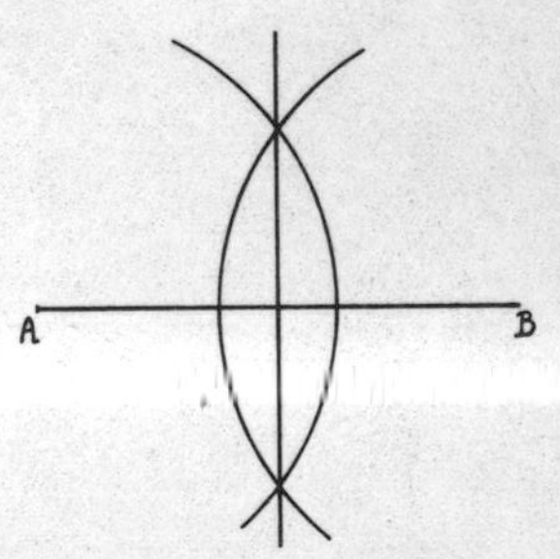

○ *D'un point situé sur une droite, élever une perpendiculaire.*

Soit la droite AB et le point P. Délimitez au compas une

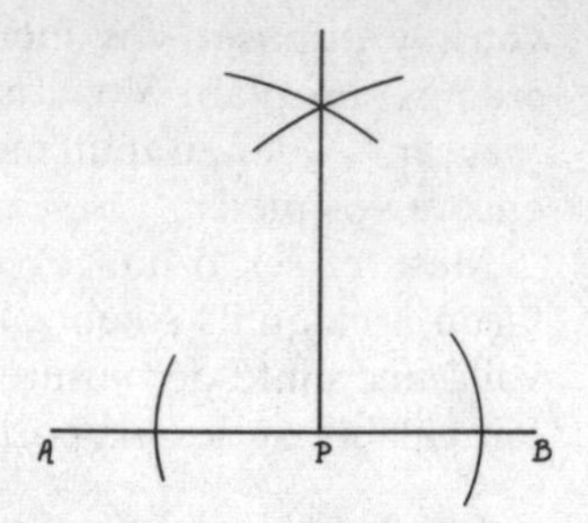

distance égale de part et d'autre de P et revenez à la méthode ci-dessus. Cette fois, le point P étant connu, il suffit de croiser au-dessus ou au-dessous de AB et de joindre ce nouveau point à P.

○ *D'un point situé en dehors d'une droite, abaisser une perpendiculaire.*

Soit la droite AB et le point C. Posez la pointe du compas sur C et prenez une ouverture légèrement supérieure à la distance entre C et la droite AB, de façon à ce qu'un arc de cercle tracé depuis C coupe AB en deux endroits. Prenez ces deux points comme centres pour tracer deux arcs de cercle qui se couperont en dessous de AB. Joignez ce nouveau point à C.

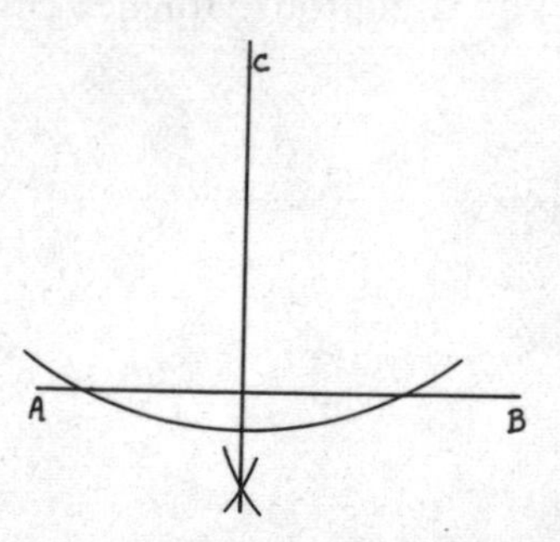

○ *Tracer une perpendiculaire à l'extrémité d'une droite sans la prolonger.*

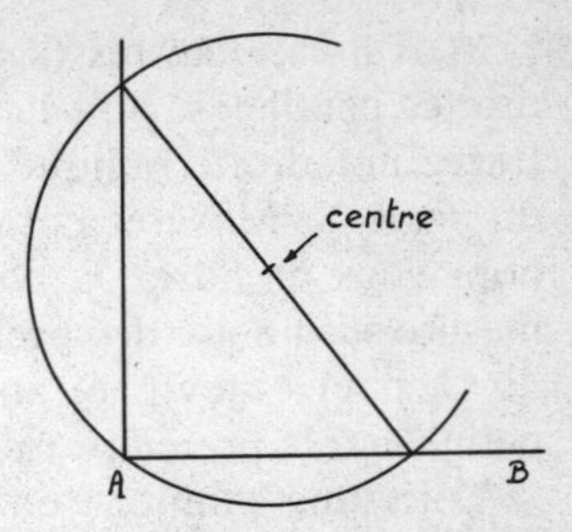

Soit la droite AB. Placez la pointe du compas à un endroit quelconque au-dessus de AB et tracez un arc de cercle passant par A. Ce cercle coupera aussi AB. De ce point, tracez un diamètre du cercle (joignez au centre et prolongez). Le nouveau point obtenu sur la circonférence joint à A, vous donnera la perpendiculaire (géométrie).

Les parallèles

En vous basant sur les perpendiculaires vues aux pages précédentes, vous pouvez déjà vous débrouiller. En effet, deux droites perpendiculaires à une même troisième, sont forcément parallèles entre elles.

Soit la droite AB et le point C par où doit passer la parallèle. De C, abaissez une perpendiculaire sur AB, et de C, élevez une perpendiculaire à la première.

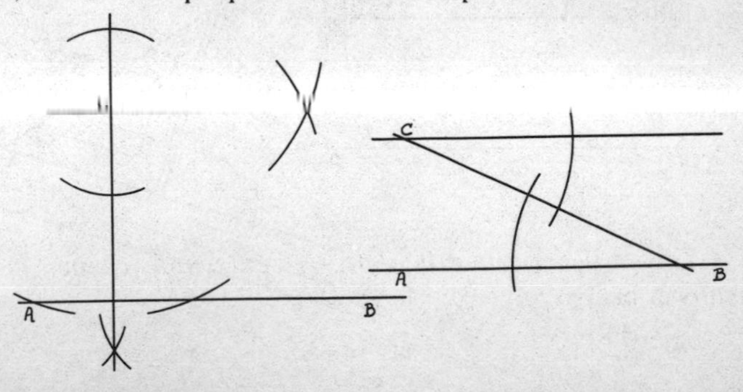

Mais il est d'autres façons plus directes de tracer deux droites parallèles. Soit la droite AB et le point C. De C, tracez une droite oblique vers B. Celle-ci forme avec AB un angle X. Mesurez cet angle à l'aide d'un arc de cercle dont vous prendrez la corde au compas. Reportez cette mesure sur un arc de cercle de même rayon, tracé à partir de C, pour obtenir un angle égal. La nouvelle droite est parallèle à la première (géométrie).

Voici une manière encore plus simple d'obtenir des droites parallèles : soit la droite AB et le point C. En prenant C pour centre, tracez un arc qui coupe AB. Du point de rencontre de l'arc avec AB, faites un arc de cercle de même rayon et passant de ce fait par C. Mesurez au compas la corde entre C et AB, reportez-la sur le premier arc de cercle et tracez la parallèle.

Comment tracer facilement plusieurs droites parallèles à une même troisième ?

Prenez une équerre et une latte. L'équerre étant le long de la droite existante, placez la latte en perpendiculaire. Vérifiez bien, puis tenez fermement la latte dans cette position. Il ne vous reste plus qu'à faire glisser l'équerre vers la gauche ou vers la droite, puisque deux droites perpendiculaires à une même troisième sont parallèles entre elles.

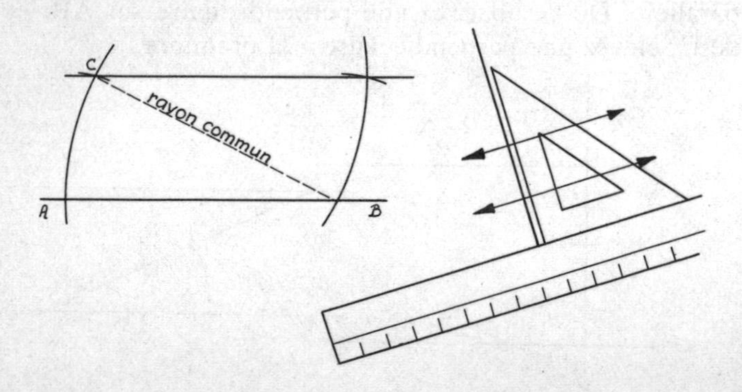

La division de l'angle au compas

- **La bissectrice**

Comment diviser un angle quelconque en deux angles égaux? En prenant comme centre le sommet de l'angle, tracez un arc de cercle d'un rayon quelconque. Prenez ensuite une ouverture de compas plus grande que la moitié de la corde. Mettez la pointe du compas alternativement sur chaque extrémité de cette corde et faites deux arcs de cercle qui se croisent. Joignez le point obtenu au sommet de l'angle.

- **L'hexagone**

C'est le polygone le plus simple à faire. Il suffit de reporter, sur une circonférence, six fois le rayon. Si vous êtes très précis, vous tomberez juste; sinon, je vous livre un petit truc pour réduire l'écart qui peut être dû, simple-

ment, à l'épaisseur de votre mine. Tracez d'abord un diamètre dans la circonférence. Mettez la pointe du compas à une extrémité et reportez un rayon de chaque côté de cette corde. Faites de même à l'autre extrémité. Si écart il y a, il ne sera du moins plus multiplié par six.

- **L'angle de 60°**

Il s'agit de construire un triangle équilatéral. Soit la droite AB. En prenant comme centre A, faites un arc de cercle de rayon AB. En prenant comme centre B, faites un arc de même rayon qui coupe le premier. Joignez ce point à A et vous obtiendrez un angle de 60°.

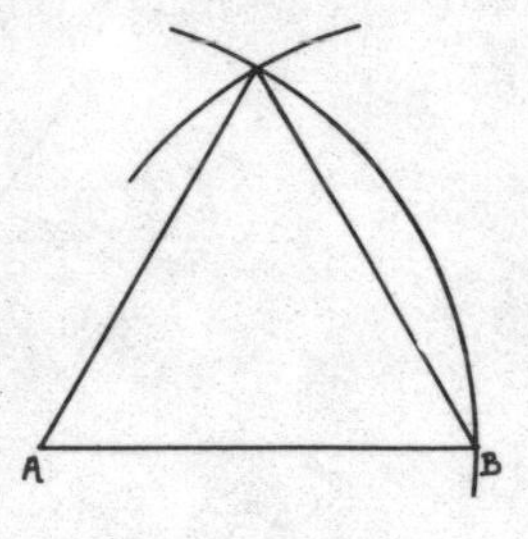

- **Les angles de 15°, 30°, 75°, 90° etc.**

Connaissant maintenant la manière de construire l'angle de 60°, il vous sera facile d'obtenir respectivement les angles de 30° et de 15°, grâce à la bissectrice. Vous construirez l'angle de 75° en ajoutant 15° à celui de 60° etc.

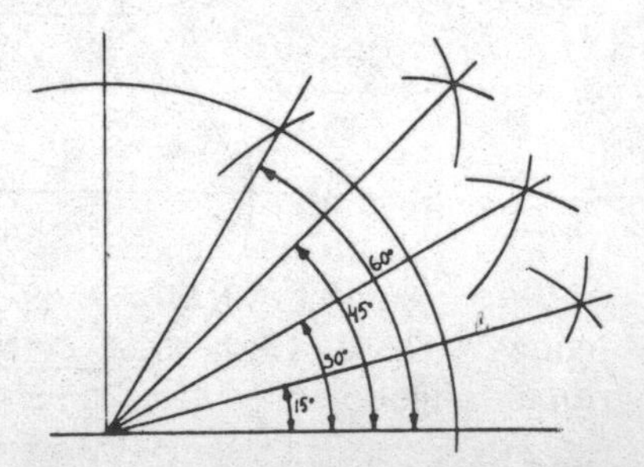

Les polygones réguliers

Sans vouloir faire de ce livre un cours de géométrie, voici réunis en une seule circonférence, les principaux polygones représentés par leur côté.

Tracez un cercle et ses deux diamètres perpendiculaires.

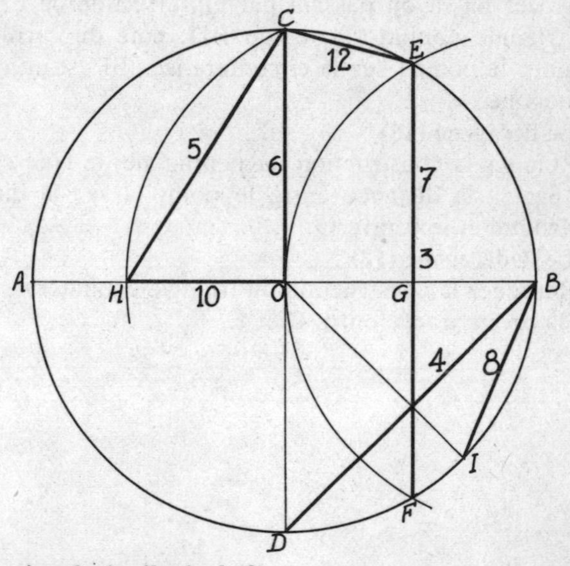

- **Le triangle équilatéral (3)**

En gardant le même rayon faites un arc de cercle de centre B de telle façon qu'il coupe le premier cercle en E et F, cette droite est un côté du triangle

- **Le carré (4)**

BD est un côté du carré.

- **Le pentagone (5)**

Prenez le milieu de OB soit G ; mettez la pointe sèche du compas en G et tracez un arc de cercle passant par C et coupant OA en H ; la corde de cet arc, soit CH, est un côté du pentagone.

- **L'hexagone (6)**
  Son côté est égal au rayon du cercle.
- **L'heptagone (7)**
  Son côté est approximativement la moitié du côté du triangle équilatéral soit EG.
- **L'octogone (8)**
  Tracez un rayon passant par l'intersection de EF, côté du triangle équilatéral, et de BD, côté du carré, vous obtenez le point I sur la circonférence ; BI est un côté de l'octogone.
- **Le décagone (10)**
  Refaites la construction du pentagone, le côté cherché est égal à la distance entre le point H sur le diamètre horizontal et le centre O.
- **Le dodécagone (12)**
  Reprenez la construction du triangle équilatéral, le côté est la droite tracée entre C et E.

APPLICATION PRATIQUE

Vous allez acheter de nouveaux meubles et vous voulez être sûr qu'ils se placeront dans votre intérieur. Faites, avant de partir, un croquis précis de la pièce que vous voulez meubler.

Ceci vous permettra, une fois au magasin, de vérifier la dimension des meubles par rapport à la place dont vous disposez. Si vous hésitez et voulez mieux voir l'effet d'ensemble, découpez la forme de vos meubles vus en plan et à la même échelle et disposez-les sur votre croquis. Vous pourrez ainsi les changer de place et juger du meilleur espace libre sans oublier qu'il faut pouvoir reculer une chaise ou ouvrir une armoire.

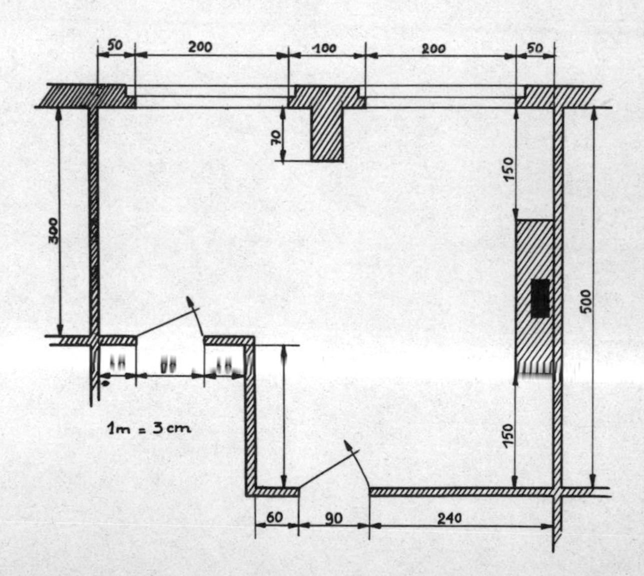

II

Les volumes

Si nous nous référons au petit Larousse, la perspective est «l'art de représenter par le dessin, sur un plan, les objets tels qu'ils paraissent, vus à une certaine distance et dans une position donnée».

C'est une jolie formule, mais en réalité, elle ne nous est d'aucune utilité si l'on considère le point de vue pratique. Disons qu'il s'agit en fait d'employer la raison au service de la vision.

Remontez aux origines de l'Art occidental, au Moyen Age : vous trouverez des représentations des choses pareilles à celles que font les enfants. Les personnages sont tous à la même échelle, l'artiste ne s'étant pas soucié de l'éloignement.

Mieux encore, les Egyptiens superposaient les images pour montrer ce qui se passait «derrière». Les paysages et les décors étaient représentés à plat, sans lointain.

Le quinzième siècle italien (le quattrocento) a découvert les règles de perspective que la Renaissance a établies de façon scientifique. Léonard de Vinci écrivait à ce sujet : *«Il y a trois sortes de perspectives : la première [illegible] aux causes de la diminution ou, comme on l'appelle, à la perspective diminutive des objets à mesure qu'ils s'éloignent de l'œil. La seconde est la manière dont les couleurs se modifient en s'éloignant de l'œil. La troisième et dernière consiste à définir comment les objets doivent être achevés avec d'autant moins de minutie qu'ils sont plus éloignés».*

La perspective dans les formes planes

Avant de passer aux volumes, voyons rapidement ce qu'il advient des formes planes vues en perspective.

Envisageons le cas du cercle et du carré et concrétisons les effets de perspective par une application pratique.

Le cercle

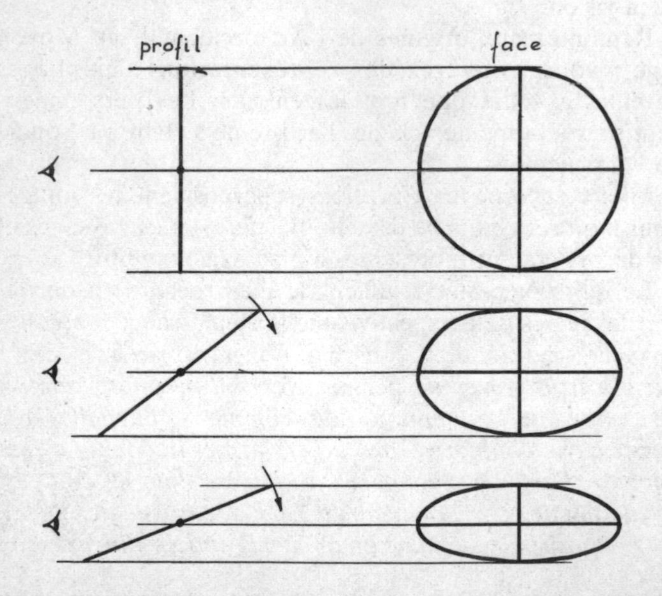

Si on fait tourner un cercle autour d'un de ses diamètres, le diamètre perpendiculaire à celui qui sert d'axe semble diminuer jusqu'à devenir un point au moment où le cercle se trouve à hauteur des yeux. La forme obtenue va donc du cercle à la ligne droite, c'est-à-dire au diamètre, en passant par une série d'ellipses plus ou moins hautes.

Voici les perspectives du cercle appliquées aux fleurs.

Le carré

Partant du principe de perspective qui veut que tout ce qui est le plus près soit le plus grand, il est facile d'imaginer la déformation subie par un carré posé à plat sur le sol par exemple.

Examinez donc un carrelage. Si vous vous placez parallèlement au côté des dalles, vous verrez toutes les droites se rapprocher parallèlement l'une de l'autre en s'éloignant de vous, tandis que les perpendiculaires sembleront fuir vers un **point de fuite** unique placé sur la **ligne d'horizon** (ligne imaginaire qui se trouve à la hauteur de vos yeux). Si, par contre, vous regardez le carrelage d'un point quelconque, vous pourrez repérer deux points de fuite (toujours imaginaires) situés sur cette même ligne d'horizon.

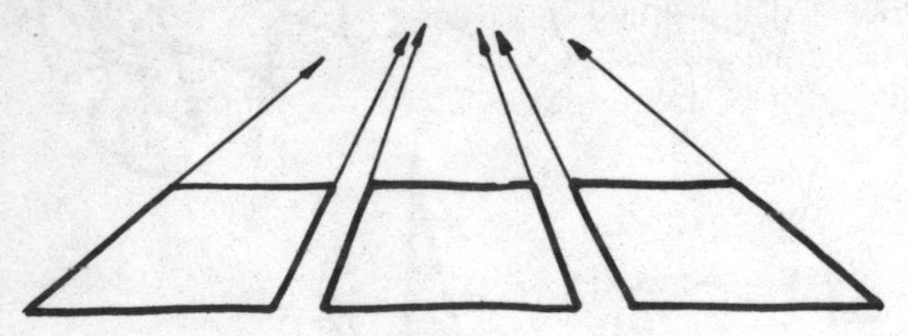

Il devient alors facile de transformer en volume simple ce rectangle posé sur une surface horizontale et d'en faire une boîte d'allumettes par exemple.

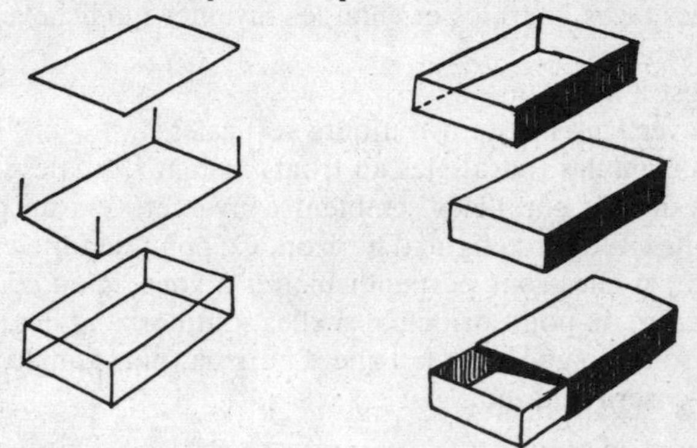

Elevez d'abord quatre petites verticales et reposez dessus le même rectangle. Vous remarquerez que les arêtes sont parallèles quatre par quatre. En tenant compte d'une légère déformation perspective, nous dirons plutôt qu'elles vont dans la même direction sauf les verticales qui resteront toujours verticales sans quoi l'objet n'aurait pas l'air d'être posé sur une surface horizontale.

La perspective des volumes

Voici une règle facile à retenir pour la perspective des formes **prismatiques :** *en dessous de la ligne d'horizon, le point le plus près est le plus bas : au-dessus, le point le plus près est le plus haut.*

Donc, pour dessiner un bloc, tracez d'abord la verticale la plus rapprochée. De la position de celle-ci par rapport à la ligne d'horizon, dépend toute la perspective du bloc. A partir des deux extrémités de cette droite, on trace les droites qui montent ou descendent vers les points de fuite situés sur la ligne d'horizon. Puis, les verticales qui délimitent les faces latérales et enfin les fuyantes qui achèvent la base visible.

Il est à noter que :

- **les verticales** restent toujours verticales ;
- **les frontales** (parallèles au front) restent frontales ;
- **les droites parallèles** semblent converger vers un point de fuite situé sur la ligne d'horizon. Ce point de fuite est *au centre*, si elles sont perpendiculaires à vous ; *d'un côté ou de l'autre* du point principal si elles sont horizontales. Plus elles sont éloignées de la ligne d'horizon, plus l'angle avec celle-ci sera marqué.

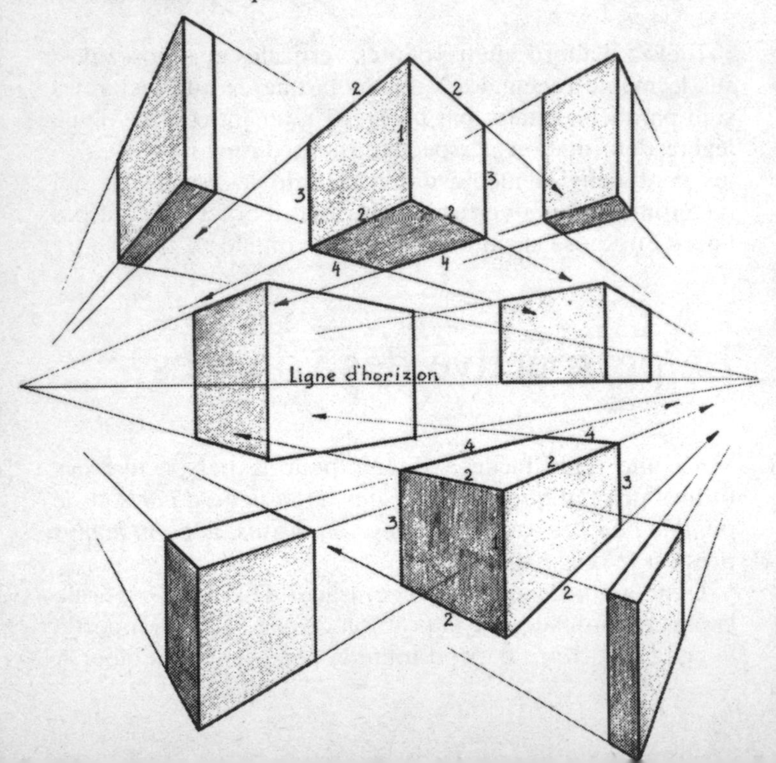

Si vous le voulez bien, revoyons ces notions dans des croquis moins sévères que les prismes.

La maison

Normalement, lorsqu'on regarde une maison, la ligne d'horizon se trouve plus ou moins à hauteur du dessus de la porte d'entrée. Tracez toujours en premier lieu l'angle de murs le plus rapproché. Pour déterminer le faîte du toit, il faut chercher le centre perspectif du plan déterminé par la façade : tracez les deux diagonales et élevez une perpendiculaire à l'intersection de ces deux droites.

S'il s'agit d'une tour ou d'un clocher, vous déterminerez le sommet en cherchant le centre perspectif du bloc entier. La méthode la plus précise consiste à tracer les diagonales du bloc. Le sommet se trouve sur la perpendiculaire élevée au point d'intersection.

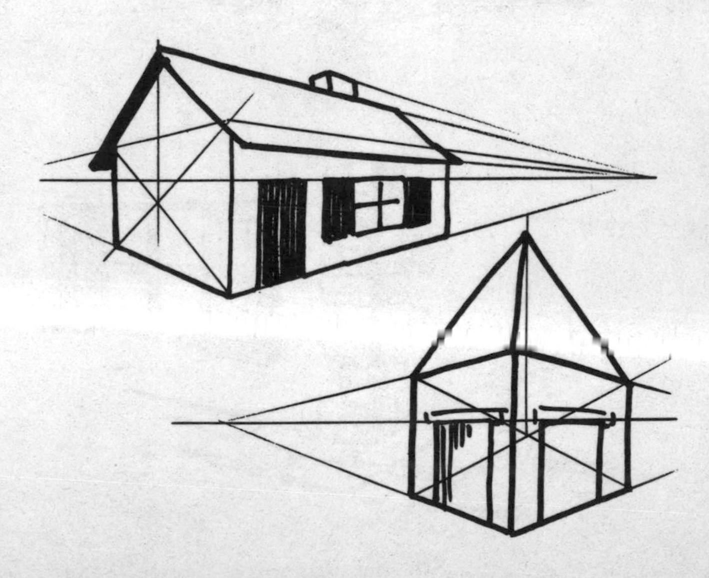

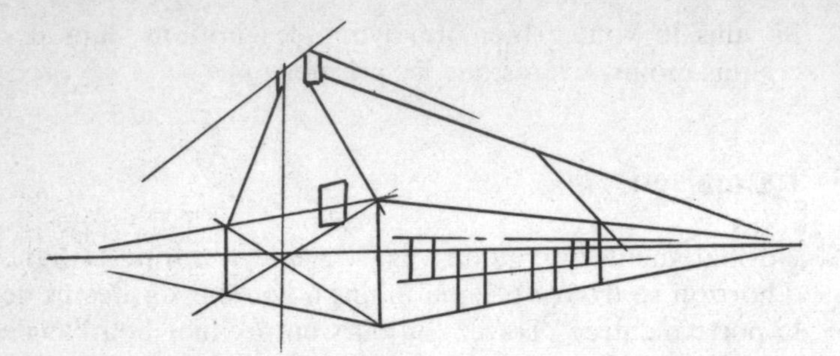

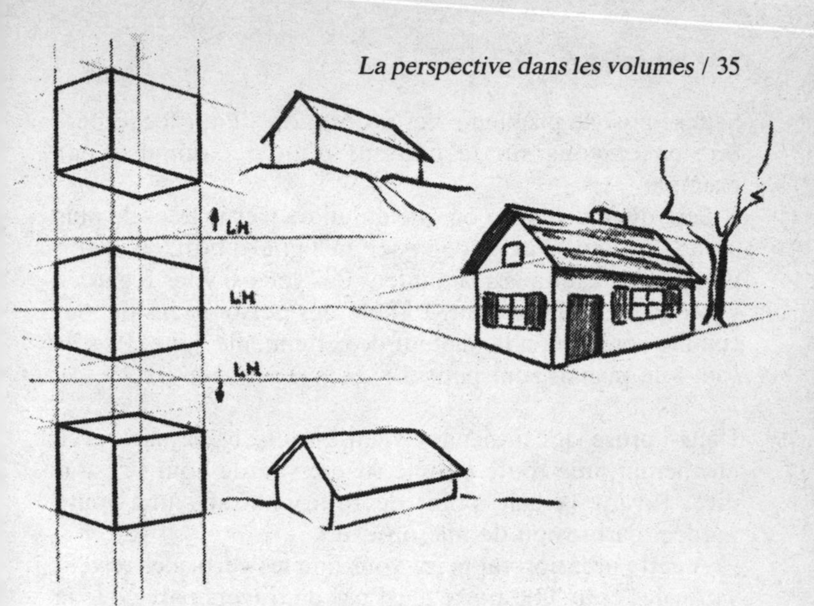

La perspective dans un paysage

Le cas le plus simple est la représentation de face, d'un terrain plat sans chemin ou rangée d'arbres : il n'y a pas de ligne de fuite; la ligne d'horizon est à hauteur des yeux.

Seul se pose le problème des proportions. Pour les respecter, basez-vous sur la hauteur d'un personnage, par exemple.

Seul quelque chose ou quelqu'un de très près et de plus grand que vous peut dépasser la ligne d'horizon qu'on pourrait appeler aussi la hauteur des yeux si vous regardez la scène en étant debout. La tête des personnages debout comme vous sont à la hauteur de cette même ligne. Plus ils sont loin plus ils sont petits.

Dans l'ordre des difficultés vient ensuite le paysage avec un chemin, une route ou une rivière vue de bout (c'est-à-dire, fuyant vers le point de fuite central), une route bordée d'arbres ou de maisons.

A cette occasion rappelez-vous que les verticales restent verticales et qu'une porte n'est pas de travers parce que la

rue semble monter ; que les piquets de clôture et les arbres restent droits, quitte à être cachés par le premier s'ils sont alignés face au spectateur.

Dans un paysage avec route ou rivière sinueuse, sur terrain plat, les points de fuite sont toujours sur la ligne d'horizon mais à gauche ou à droite du point principal selon la direction voulue.

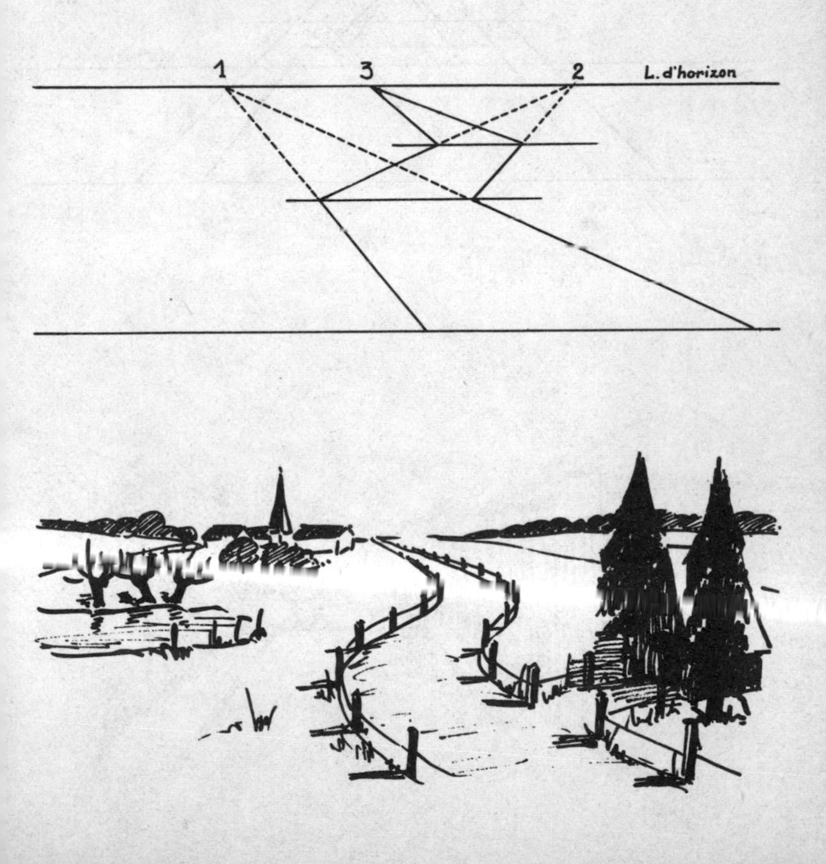

Enfin, dans le cas d'une route qui monte ou descend, le ou les points de fuite seront toujours situés plus haut ou plus bas que la ligne d'horizon.

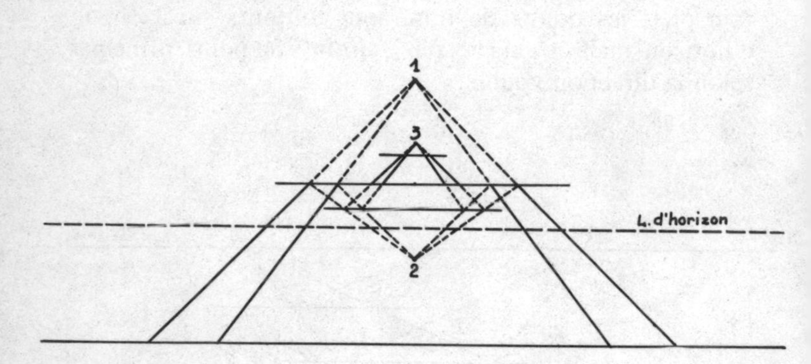

Avec ces différentes données, ce que vous savez déjà de la perspective des prismes et un peu de raisonnement, vous pourrez vous lancer dans la représentation de paysages de votre choix.

Prises de mesures

Qu'il s'agisse d'un paysage ou d'une cruche, pour qu'un dessin «ressemble» à son modèle, il faut respecter un certain rapport de proportions. Il existe pour cela un moyen fort simple, à condition qu'il soit bien appliqué. Comme au premier chapitre pour les surfaces planes, votre meilleur outil de mesure reste votre **crayon.**

Regardez attentivement l'objet que vous voulez reproduire et choisissez une mesure de départ, mesure évidemment plus petite que celle du modèle. Tenez votre crayon perpendiculairement au bras tendu et limitez avec votre pouce la dimension choisie. (Pour être sûr que le crayon soit perpendiculaire calez-le avec deux doigts). Ne reportez pas cette mesure sur le dessin, mais employez-la comme unité de comparaison. Prenez par exemple, la largeur d'un objet haut. Tournez le crayon toujours perpendiculaire au bras tendu et reportez cette mesure dans la hauteur. L'objet aura par exemple une proportion de 1 ×

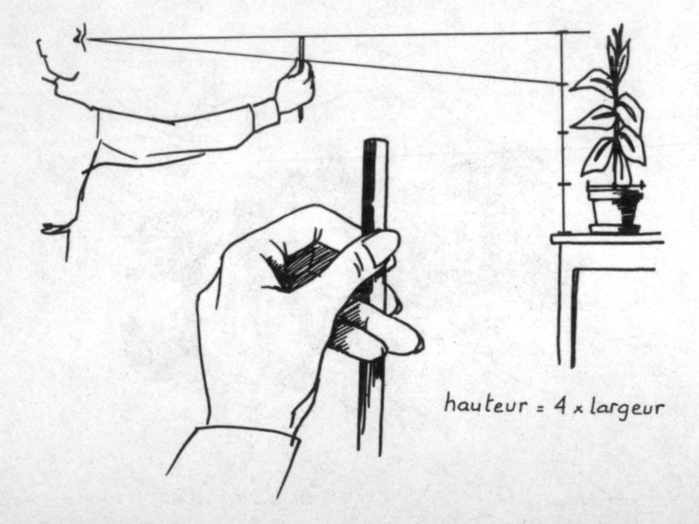

3, c'est-à-dire que la largeur ira trois fois dans la hauteur. Partant de ce principe, vous pourrez faire n'importe quel dessin.

Il faut toujours reporter un plus petit dans un plus grand.

Appliquons cette technique à deux dessins précis.

L'essuie main : ayant constaté que la largeur va trois fois dans la hauteur, commencez par faire un axe vertical, divisez-le en trois et reportez horizontalement un tiers en le plaçant si possible directement à la hauteur voulue.

La cruche est un peu plus difficile. Choisissez comme unité la largeur du dessus de la cruche par exemple et vous obtiendrez : hauteur = deux et demi, largeur du haut = un, largeur de la partie la plus pensue = deux.

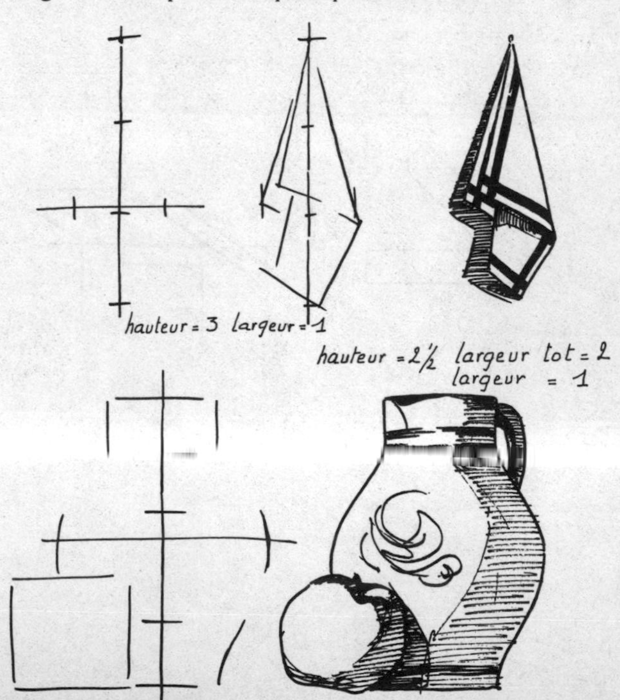

La même technique vous servira pour contrôler la direction des fuyantes. Si vous avez bien compris le début de ce chapitre, vous devez, par simple raisonnement, savoir dans quel sens vont les lignes. Pour contrôler une hésitation, ou pour connaître l'inclinaison exacte de la fuyante, vous longez la droite avec votre crayon (toujours bras tendu) et vous comparez avec votre dessin.

Pour contrôler un angle, vous pouvez vous fabriquer une fausse équerre avec deux bandelettes de papier fort ou de carton.

Ces différentes techniques de prises de mesures doivent surtout servir de contrôle pour aider l'œil qui se laisserait tromper par les déformations perspectives. Au fur et à mesure de vos progrès, vous pourrez bientôt abandonner ces exercices un peu fastidieux.

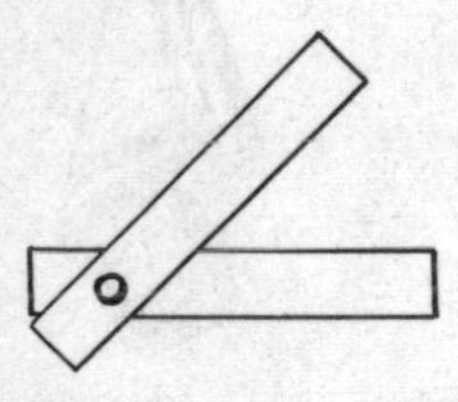

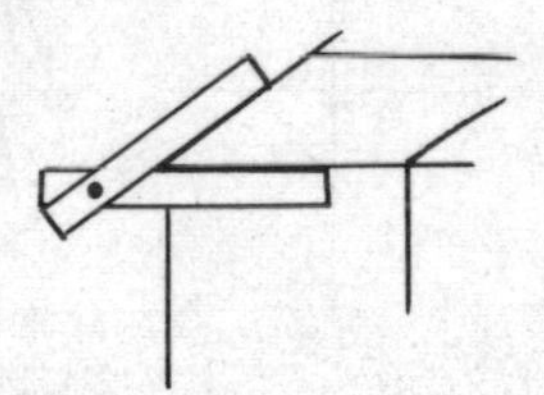

III

Lumières et ombres

Un simple contour ne suffit pas toujours pour représenter un objet. Le **modelé** a son importance et, par ce fait même, l'ombre et la lumière.

Il y a deux sortes d'ombre : l'ombre propre de chaque objet et l'ombre que celui-ci projette sur le plan où il est posé.

Il y a aussi deux façons d'éclairer un objet : le point

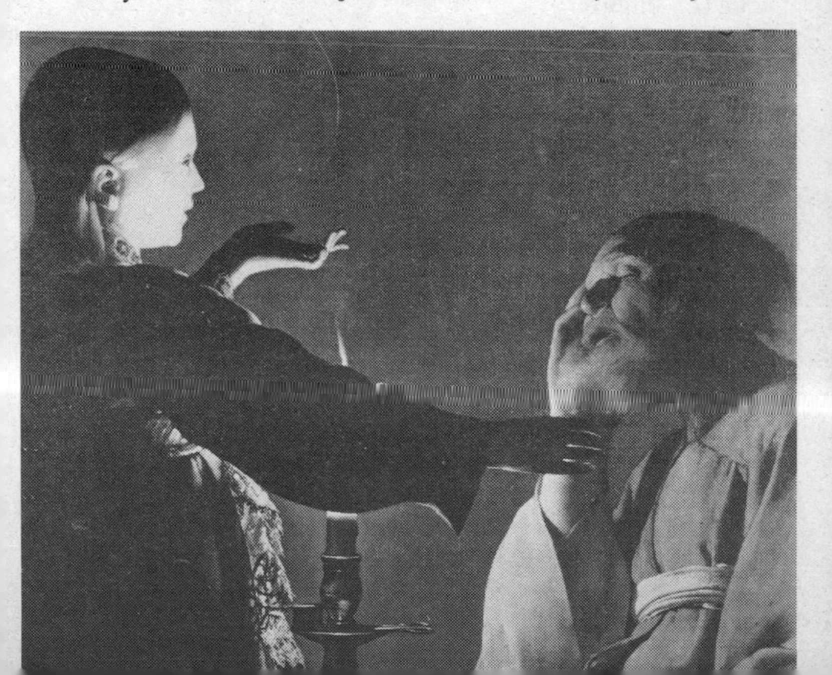

lumineux qui fait des ombres d'autant plus nettes qu'il est plus près et la lumière qu'on appelle généralement solaire, et qui est l'éclairage normal de plein jour.

Jetons un rapide coup d'œil sur l'histoire de l'art. Au début, l'éclairage et les ombres étaient raisonnés : il est impossible de déterminer exactement la source de la lumière. Le modelé est là pour donner un volume, tant dans les portraits que dans les paysages. Quelques exceptions toutefois : *Le Caravage*, chez qui certains éclairages sont tellement violents que certaines parties se perdent dans le noir. *Georges de la Tour* et son fameux éclairage de bougies, et surtout *Rembrandt*, qui semble faire sortir la lumière de son sujet (clair-obscur).

Au dix-neuvième siècle, *Delacroix* cherche à représenter la lumière du soleil. Ce n'est qu'à la fin de sa vie qu'il trouvera que ce qui fait l'objet ensoleillé, c'est la couleur de son ombre.

L'enseignement est transmis, et les *impressionnistes* remplaceront presque le modelé par l'ombre et la lumière, parfois même au détriment de la forme.

L'ombre propre

La reproduction de l'ombre propre est quelquefois indispensable pour identifier l'objet représenté.

Ainsi par exemple, pour reproduire un cylindre, le sim-

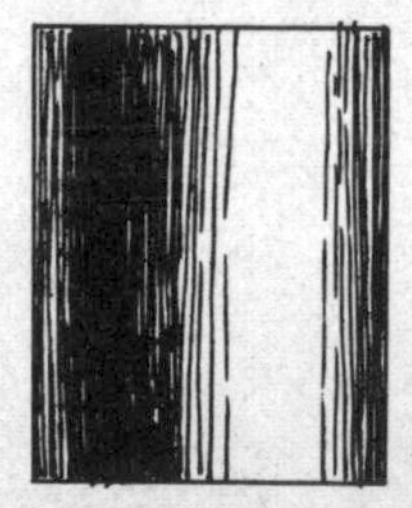

ple trait ne suffit pas. On obtient en effet, un rectangle. Seules les ombres permettent d'identifier le cylindre.

Il en est de même pour la représentation d'une sphère : sans ombres, on obtient une surface, c'est-à-dire une circonférence et non pas une sphère.

L'ombre propre est différente suivant la forme des objets, mais aussi suivant la position de la source lumineuse.

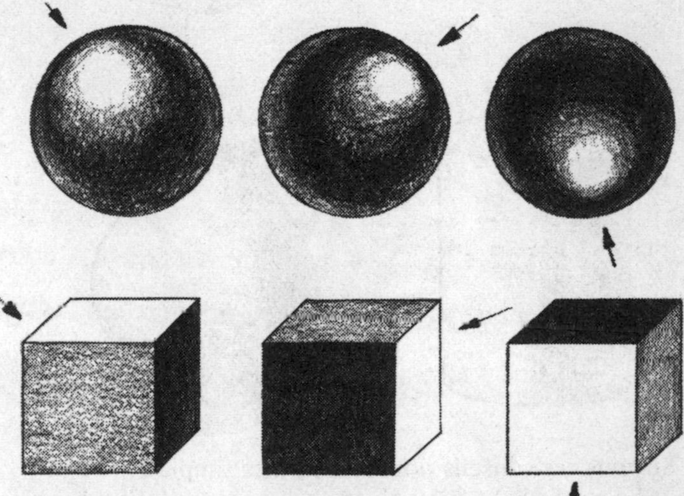

La position de la source lumineuse fait varier l'intensité des ombres. La partie d'un objet directement exposée à la lumière est forcément claire. La partie la plus éloignée est la plus sombre. Les parties intermédiaires par ailleurs, seront en demi-teintes.

Il faut signaler encore que, dans les formes rondes, comme un cylindre ou une cruche, l'ombre la plus forte n'est pas située à l'extrémité. Entre la partie la plus fortement ombrée et l'extrémité proprement dite de l'objet arrondi, il y a un léger espace en demi-teinte, qui, précisément donne l'aspect d'arrondi.

Suivons ces conseils pour des formes simples.

Le cube : la lumière vient d'au-dessus à droite, la partie la plus sombre sera donc la face de gauche et l'arête entre l'ombre et la lumière nettement délimitée.

La maison : la lumière vient de droite aussi mais ici le toit dépassant fait une ombre sur la façade exposée à la lumière.

Le cylindre : pour donner l'impression d'arrondi, l'ombre la plus forte n'est pas à l'extrême gauche et l'éclaircissement doit être progressif.

La cruche : la technique est la même que pour le cylindre pour le haut de la cruche mais l'ombre doit s'arrondir vers le bas comme s'il s'agissait d'une sphère.

L'ombre portée

C'est l'ombre projetée par un objet éclairé sur un fond ou sur le sol. Elle dépend de la forme de l'objet qu'elle recopie plus ou moins fidèlement et de l'éloignement du point lumineux.

• **A l'intérieur**

La source lumineuse garde la même place et la même intensité, puisque l'on en choisit l'emplacement. Les deux pommes sont éclairées du même côté mais pour la première le point lumineux est plus près et de ce fait l'ombre plus courte. Quant aux cruches : la première est éclairée par le haut ; son ombre portée est donc plus basse. La

seconde est éclairée de plus bas ; l'ombre se projette donc plus haut sur le fond.

• **Dans la nature**

L'ombre varie pour deux raisons principales :
— l'intensité de la lumière : si le ciel est gris l'ombre est très légère ; si par contre le soleil est très fort, l'ombre est très nette ;

— l'heure de la journée : si le soleil est à midi l'ombre sera ramassée au pied de l'objet, presque inexistante ; elle s'allongera au fur et à mesure que le soleil descend.

L'ombre peut aussi être raisonnée scientifiquement : c'est l'ombre géométrique. Très schématiquement, le trait part de la source lumineuse, passe par l'extrémité de la partie éclairée et touche le sol où il délimite le contour de l'ombre portée.

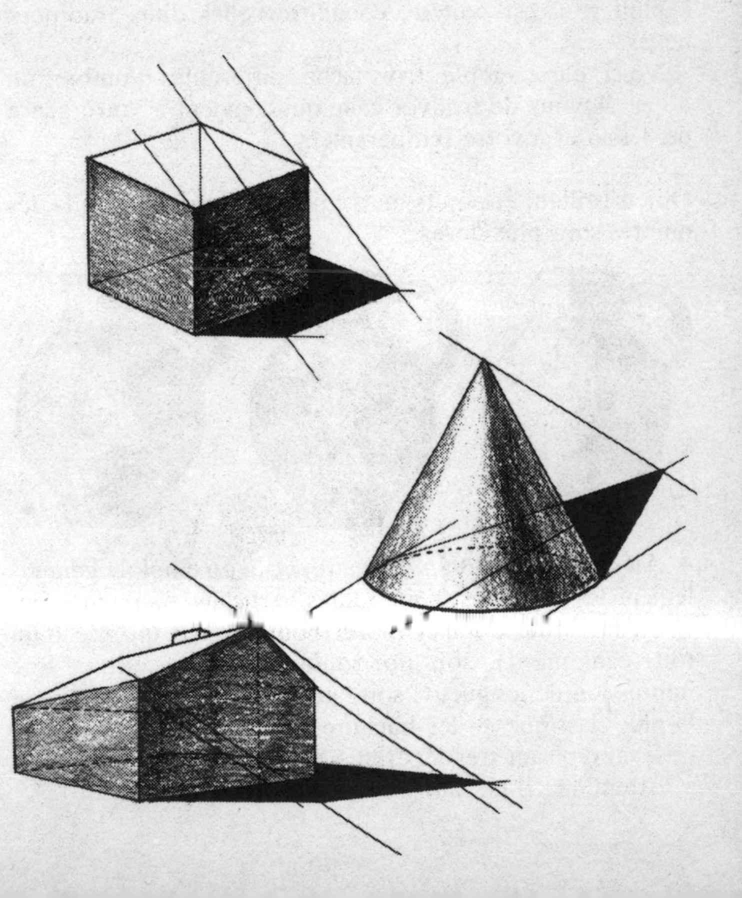

Les techniques d'ombres

Il existe tellement de techniques d'ombres qu'il serait impossible de les voir toutes ici. Depuis le crayon jusqu'au bout de chiffon en passant par le doigt et l'allumette, l'art moderne en produit de toutes les sortes et en produira certainement encore.

Mais avant de rechercher une nouvelle méthode à exploiter, il est bon de connaître celles dites traditionnelles.

Voici, par exemple, trois façons différentes d'ombrer un objet. A vous de trouver celle qui convient à votre genre de dessin et à votre tempérament.

Objets brillant et objets mats : pour les objets brillants, les ombres sont plus dures.

• Au *crayon*, à la *plume* ou au *feutre*, on emploie généralement les **hachures,** soit, toutes verticales pour un objet ayant la forme d'un cylindre (pour l'ombre portée d'un toit, également), soit horizontales pour accentuer une impression de longueur, soit encore — et c'est la méthode la plus classique — les hachures inclinées que l'on superpose en croisant très légèrement.

Attention ! Il ne faut jamais croiser à angle droit.

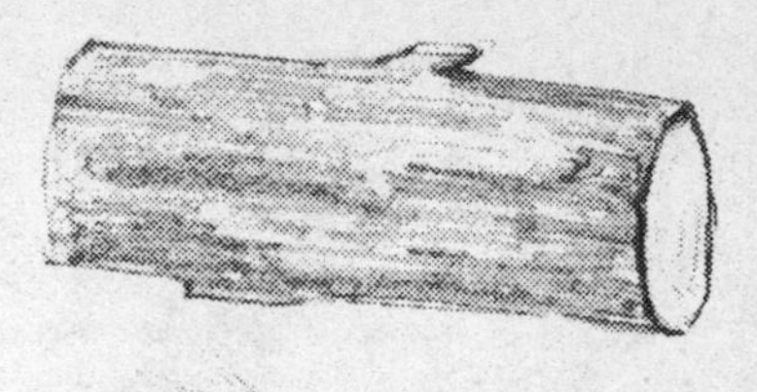

Avec un *crayon assez gras* — mine de plomb ou comté — vous pouvez employer l'**estompe** ou le doigt pour atténuer ce que les hachures peuvent avoir d'assez dur. Ce dernier moyen s'avère très pratique pour camoufler un manque de sûreté quand on est débutant.

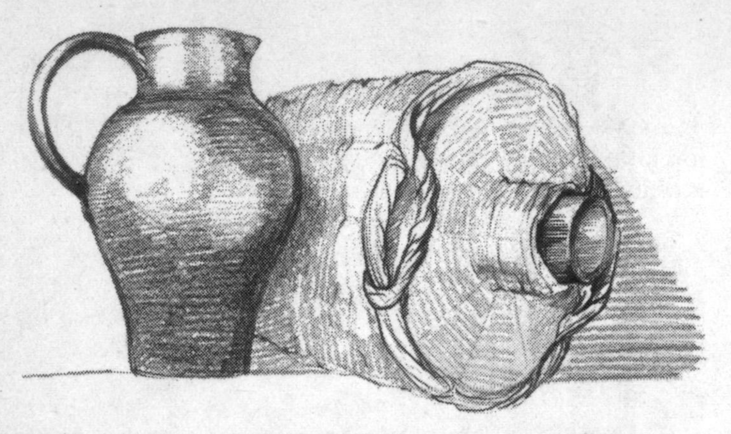

• Au *pinceau* on fait généralement un **lavis,** c'est-à-dire qu'on choisit une couleur (souvent le noir) et qu'on traite le sujet en noir et blanc en tenant compte des valeurs et

non des couleurs (principe de la photo en noir et blanc).

Le plus facile pour réussir un lavis est de réserver les blancs et de couvrir le reste d'un gris clair (encre de Chine + eau) et de superposer les couches en réservant chaque fois les parties les plus claires. Et pour terminer : quelques accents noirs judicieusement placés.

Une autre technique consiste à travailler en blanc sur fond noir ou de couleur sombre. Le travail se fait alors en sens inverse. On laisse le plus sombre pour terminer par quelques accents de blanc pur (surtout pour un objet brillant).

Voici trois techniques différentes pour le même cylindre :
— l'ombre traditionnelle faite au crayon avec les grisés qui atténuent la tache sombre ;
— l'ombre stylisée faite de traits verticaux plus ou moins rapprochés ;
— l'ombre faite de points plus ou moins serrés pour donner plus ou moins d'intensité à l'ombre.

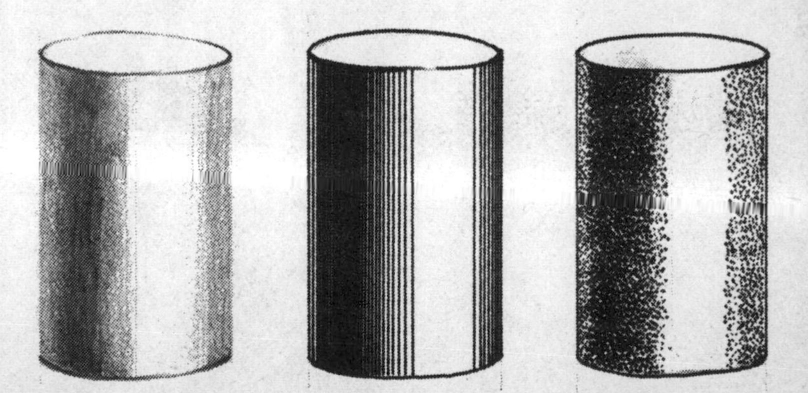

Le matériel pour ombrer

Si la technique dépend de l'instrument choisi, on peut dire aussi que l'instrument dépend de la technique que l'on veut employer et surtout de l'effet que l'on veut obtenir.

Les crayons, les mines, qu'elles soient plomb ou comté, et le fusain, permettent un dessin souple et en demi-teintes.

La pointe feutre, tout en étant aussi souple, ne permet plus les demi-teintes.

La plume donne un dessin beaucoup plus dur. Parfaite pour styliser, elle peut cependant convenir pour un dessin naturel, à condition d'être desservie par une technique de hachures qui exige un certain métier toutefois.

En tête, bien sûr : le crayon.

• **La mine de plomb,** en crayon ou en mine plate, sert à tout : depuis le croquis rapide jusqu'au dessin fini. La mine peut être dure (tous les numéros suivis de H). On l'emploie de préférence pour les dessins techniques. (Plus le chiffre est élevé, plus la mine est dure). Le 3 H est un

bon crayon pour un dessin de précision. Entre les deux, le HB est un crayon moyen, noté parfois simplement n° 2. Le n° 1, le n° 0 ou tous les numéros marqués B sont plus tendres. Il existe des mines rondes ou plates allant jusqu'au 6 B. Elles permettent d'obtenir des effets d'ombres, mais demandent certaines précautions (notamment celle de ne pas mettre la main sur ce qui a été fait : le dessin se brouille facilement). Une fois le dessin terminé, il faut le fixer ou le protéger avec du papier pelure ou de soie.

- **La mine comté** est plus noire que la mine de plomb et non brillante, mais présente les mêmes caractéristiques. Toutes deux permettent l'emploi de l'estompe ou du doigt.

• **Le fusain** se présente en bâtonnets. Il est noir, mais très friable. En gras, le fusain doit être traité très largement. En sec. il permet des dessins précis (notamment les dessins d'après plâtres).

Une bonne technique consiste à commencer par une construction assez large faite de grandes lignes directrices et de masses d'ombres sans détails (cligner des yeux). Passez légèrement sur le dessin avec une aile (en général, aile de pigeon vendue avec le matériel de dessin). Brouillez ce qui est trop dur ou trop géométrique, puis, reprenez, en poussant plus le dessin. Lorsque celui-ci est presque terminé, fondez les hachures trop marquées avec le doigt ou en passant l'aile très légèrement. Achevez le dessin avec quelques accents noirs et quelques coups de gomme ou de mie de pain pour les blancs. Ce dessin doit être fixé.

• Il existe des mines rouge brique ou brun foncé que l'on employait volontiers à la Renaissance et au dix-huitième français (les sanguines).

Ces mines se traitent comme une mine comté, et leur emploi peut se justifier pour des portraits car l'effet est moins dur. Parfois même, on peut combiner les deux.

• **Les marqueurs (ou pointes feutre).** Noirs et agréables à travailler comme un bon fusain, ils présentent l'avantage de ne pas déteindre. Par contre, ils ne permettent pas de demi-tons. Ils se travaillent en quelque sorte comme un crayon qui serait à l'encre de Chine, mais sec immédiatement. Très agréables et très pratiques à employer, ils ne permettent cependant ni erreurs ni remords.

• **La plume,** avec encre de Chine ressemble au marqueur mais en plus dur. Attention aux taches ! L'encre de Chine permet l'emploi de fines plumes ou du pinceau (voir dessin japonais).

• **Le pastel** peut être considéré comme dessin quoique, posant le problème des couleurs, il se rapproche davantage de la peinture. Cité ici, surtout pour mémoire, (voir par exemple, la danseuse à l'éventail de E. Degas) il s'emploie comme le fusain, mais l'estompe remplace l'aile.

• **Le pinceau** est une technique employée avec un art merveilleux par les Japonais. Mais ce n'est pas une raison pour ne pas essayer. L'outil lui-même est très important,

on trouve des pinceaux japonnais dans les magasins spécialisés. Leur caractéristique est d'être longs et pointus de façon à passer du trait fin au plein avec le même pinceau. Tenu verticalement pour obtenir un trait fin, c'est en l'inclinant plus ou moins fort que vous tracerez des pleins ou des déliés, en appuyant vous aurez des traits plus larges. Le dessin au pinceau demande une main sûre et un poignet souple.

IV

Les modèles

Que faut-il dessiner ? Comment faire un choix ? Une main géniale, bien sûr, peut tirer un chef-d'œuvre de n'importe quoi : Cézanne alignait des pommes ; Van Gogh a peint une paire de vieilles godasses qui semblent contenir la poussière et la fatigue de tous les chemins du monde. Mais ces mains-là sont rares, vous en conviendrez, et n'ont d'ailleurs nul besoin de conseils. Mais pour les autres, pour vous, voici quelques directives.

Le sujet le plus facile pour débuter est évidemment l'objet. Vous le placez où vous voulez, vous l'éclairez selon votre goût et vous pouvez vous-même vous installer confortablement.

Vous pouvez aussi choisir un paysage où seule la lumière variera avec l'heure. Vous ne serez dérangé que par un coup de vent ou un curieux qui passe.

Le modèle vivant pose d'autres problèmes : même une simple fleur bouge et change pendant que vous travaillez, que dire alors d'un enfant ou d'un chien.

Alors que faire quand on est débutant et qu'on veut tout de même se lancer dans des dessins plus difficiles ? Et bien il existe un moyen de faire tenir tranquille le sujet récalcitrant : c'est la photo. Pas pour décalquer, mais pour vous aider soit à achever, soit même pour vous entraîner. Les débutants sont parfois un peu lents et vos tâtonnements pourraient mettre à rude épreuve la patience de votre modèle.

La nature morte

Quels sont les objets que l'on peut disposer ? En principe, tout. Mais, puisque cet ouvrage se veut traditionnel, prenons les accessoires classiques de l'artiste débutant : le grès, les terres, les cuivres, l'étain, les fruits, des bols de faïence, des bouteilles originales, un beau verre, une vieille lampe, etc.

La nature morte est le sujet le plus facile pour plusieurs raisons :

— il peut se faire chez soi, sans déranger personne ;

— il va du plus simple au plus compliqué : en effet, on peut augmenter les difficultés au fur et à mesure de ses possibilités.

Comment disposer les objets choisis? Il faut éviter les objets de même grandeur alignés les uns à côté des autres, mais au contraire, les disposer de façon à ce que les grandes lignes de construction donnent un triangle, un trapèze, un losange irrégulier.

Un alignement peut éventuellement être voulu pour donner un certain style, mais ceci se rapproche davantage alors d'une composition ou d'une interprétation libre que d'un dessin d'après nature.

Prenons quatre exemples illustrant un par un les degrés de difficultés et voyons **comment procéder.**

Un sujet simple

Une cruche en grès sombre et deux oranges.

• **La disposition.** Un fruit posé légèrement en avant donne une disposition en triangle. Si la lumière vient de droite, placez les fruits à gauche : l'ombre portée du pot se placera alors au centre du dessin et évitera un déséquilibre trop grand entre la hauteur du pot et celle des oranges.

• **La construction.** Situez d'abord l'axe vertical de la cruche, puis, sa hauteur, suivant la dimension de votre papier, sa largeur, puis l'emplacement des fruits.

Tracez les grandes lignes obliques de façon à incrire le tout dans une forme géométrique et voyez si l'ensemble est bien «mis en page» avant d'aller plus loin.

• **Le dessin.** Tracez d'abord un côté de la cruche puis l'autre, symétrique par rapport à l'axe. Faites quelques lignes de construction horizontales, très légèrement, afin de pouvoir contrôler votre dessin. Puis, dessinez l'anse.

Regardez bien les fruits. Chacun a sa forme propre.

Passez au détail. Votre ligne d'horizon se trouve plus haut que le modèle : vous voyez l'ellipse supérieure de la cruche, mais la moitié inférieure seulement de celle du dessous. Dessinez l'épaisseur de l'anse.

Les détails étant établis, avant d'ombrer, clignez des yeux pour ne plus voir que l'essentiel, et tracez légèrement le contour des masses les plus claires et les plus sombres.

• **Les ombres.** Hachurez légèrement tout ce qui n'est pas blanc en respectant les limites que vous venez de tracer. Revenez sur les parties les plus sombres en croisant légèrement les hachures et en appuyant de plus en plus.

Faites l'ombre portée sur le fond, sur la table et aussi celle que font les objets les uns sur les autres : elles empêchent les objets d'avoir l'air de flotter dans l'espace.

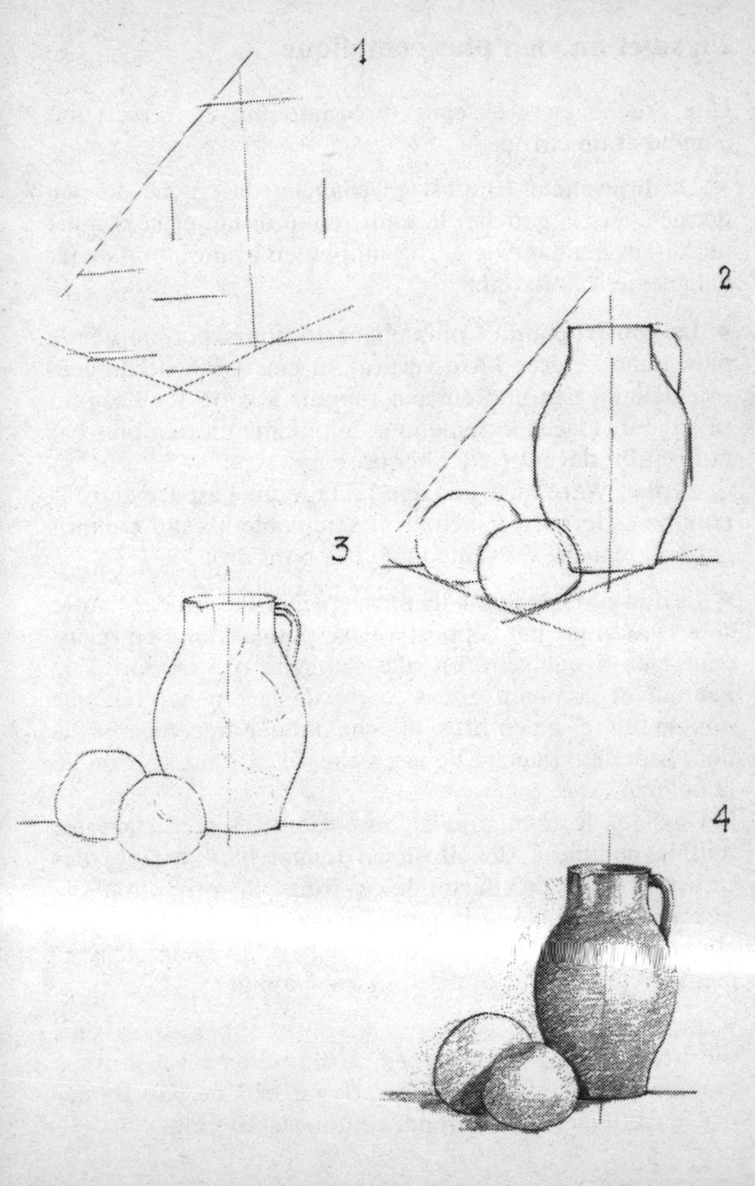
1
2
3
4

Un sujet un rien plus compliqué

Une cruche en grès clair, un ramequin en terre, une pomme et un citron.

• **La disposition.** Elle est en triangle : la cruche un peu décalée vers la gauche, le ramequin à droite et la pomme lui faisant pendant, le citron un peu en avant afin d'éviter l'alignement horizontal.

• **La construction.** Commencez toujours par l'objet le plus grand. Tracez l'axe vertical un peu à gauche du centre ; délimitez sa hauteur par rapport à votre feuille, puis sa largeur. Placez le ramequin, la pomme un rien plus bas et le citron devant (axe oblique).

Vérifiez votre mise en page : il faut que l'espace entre la pomme et le bord gauche soit semblable à celui compris entre le manche du ramequin et le bord droit.

• **Le dessin.** Faites un côté de la cruche. Puis tracez l'autre côté symétrique par rapport à l'axe. Situez l'anse en regardant bien à quel endroit elle s'attache par rapport à la hauteur et combien elle s'écarte de la cruche. Ici, elle semble suivre, à peu près, la ligne oblique tracée depuis le bord supérieur gauche de la cruche à l'extrême gauche de la pomme.

Dessinez le ramequin en respectant les constructions, puis la pomme et le citron en tenant bien compte des caractéristiques de chacun de ces fruits. Si votre ensemble « tient » bien, achevez la partie dessin en traçant les deux ellipses. Indiquez l'épaisseur de l'anse. Dessinez légèrement le contour des ombres en les simplifiant.

• **Les ombres.** Procédez par hachures superposées sans oublier les ombres portées. Commencez toujours à ombrer au-dessus et à gauche, de façon à ne pas abîmer par le frottement de la main, ce qui est déjà fait.

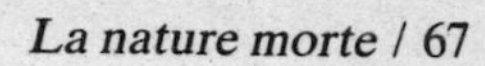

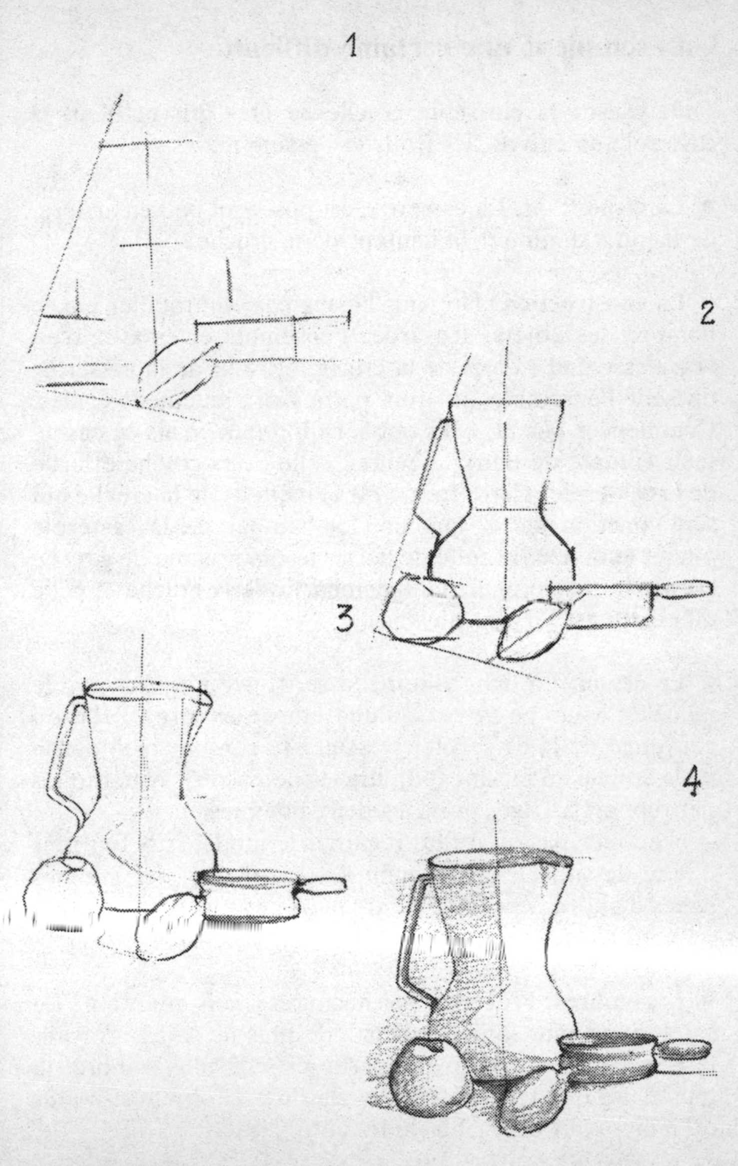
1
2
3
4

Un exemple d'une certaine difficulté

Tout y est : la classique cruche de grès gris et bleu, la casserole en cuivre, les fruits et l'essuie-mains.

• **La disposition.** La casserole est posée un peu en arrière, de façon à diminuer la hauteur de la cruche.

• **La construction.** Ne vous laissez pas embrouiller par le nombre des objets. Regardez l'ensemble et essayez d'en voir l'essentiel : l'axe de la cruche et celui de la casserole divisent l'ensemble en trois parties pratiquement égales. Commencez par là, sans oublier qu'il faut, dans ce cas-ci, tenir compte de deux largeurs : celle de la cruche et celle de la casserole. Cette fois, c'est la hauteur de la cruche qui sera fonction de sa largeur. La hauteur de la casserole atteint le milieu de celle de la cruche ; la pomme de gauche est sur le même plan (éloignement) que la cruche et celle du centre est un peu plus bas.

• **Le dessin.** La ligne d'horizon se trouve plus bas que le modèle : vous ne voyez qu'une ellipse entière : celle du couvercle de la casserole. Dessinez le contour bien pansu de la cruche en faisant toujours les deux côtés symétriques par rapport à l'axe, puis, les deux pommes.

N'oubliez pas qu'il faut regarder le modèle dix fois plus que le dessin. Dessinez enfin l'essuie-mains : les grandes lignes d'abord; ensuite, les arrondis des plis et la position du bord rouge (toujours parallèle à la lisière).

• **Les ombres.** Procédez par hachures, mais attention ! Le sujet, étant plus difficile, demande plus de soins. Travaillez par comparaison. Telle partie est-elle plus sombre ou plus claire que telle autre ? Le clair de tel objet est-il plus ou moins clair que celui de tel autre ? Etc.

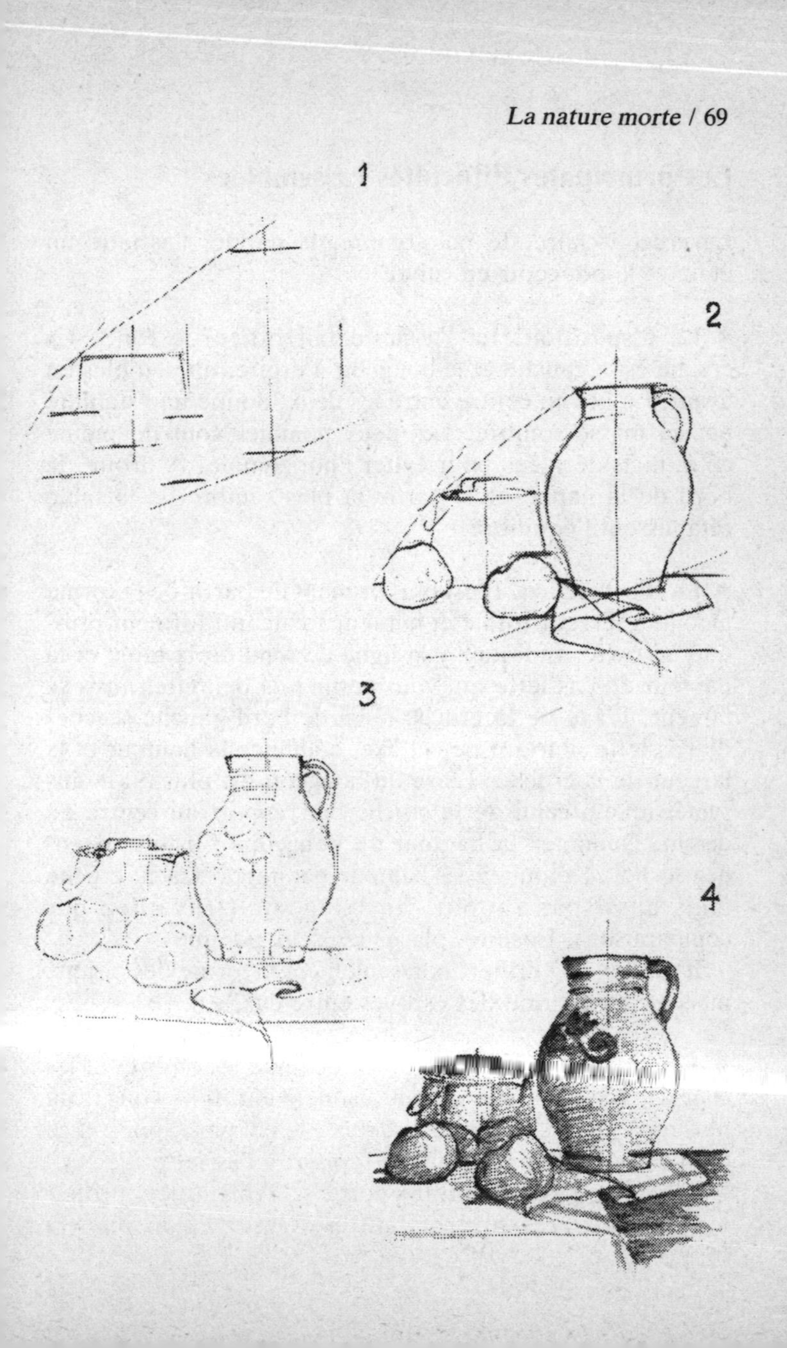
1
2
3
4

Les principales difficultés rassemblées

La cruche claire, le bol sombre, la nappe, l'assiette en étain et le bougeoir en cuivre.

• **La disposition.** Ici l'assiette fait office de fond. La cruche est à gauche et le bougeoir à droite, un peu plus en avant. Le bol au centre entre les deux, donne une stabilité par sa masse sombre. Les deux pommes sont du même côté, mais décalées pour éviter l'horizontale. A droite, le bord de la nappe et la partie la plus sombre de la table rétablissent l'équilibre.

• **La construction.** Il est plus prudent de partir de la forme globale : largeur totale et hauteur totale qui forment presque un carré. Indiquez-y la ligne de fond de la table et la hauteur de l'assiette qui vous permet de délimiter aussi sa largeur. L'axe de la cruche longe le bord gauche (caché) de l'assiette. Partant de cet axe, délimitez la hauteur et la largeur de la cruche. L'axe du bougeoir est plus ou moins symétrique à celui de la cruche par rapport au centre du dessin. Délimitez la hauteur du bougeoir. Ensuite, dessinez le bol. Délimitez sa hauteur par rapport à la cruche mais aussi par rapport au bougeoir (travaillez par comparaison). Ensuite, placez les deux pommes.

Il est bon de vérifier, non seulement la forme des objets, mais aussi la forme des espaces entre eux.

• **Les ombres.** Si vous avez bien délimité les ombres et les clairs, le travail le plus difficile est déjà fait. Il ne vous reste plus qu'à tenir compte des valeurs : le bol par rapport à ce qui l'entoure, le bougeoir par rapport à l'assiette, etc.

N'oubliez pas les ombres portées ! Trois objets projettent une ombre sur trois autres. Observez-en bien la forme.

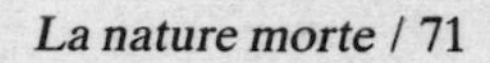

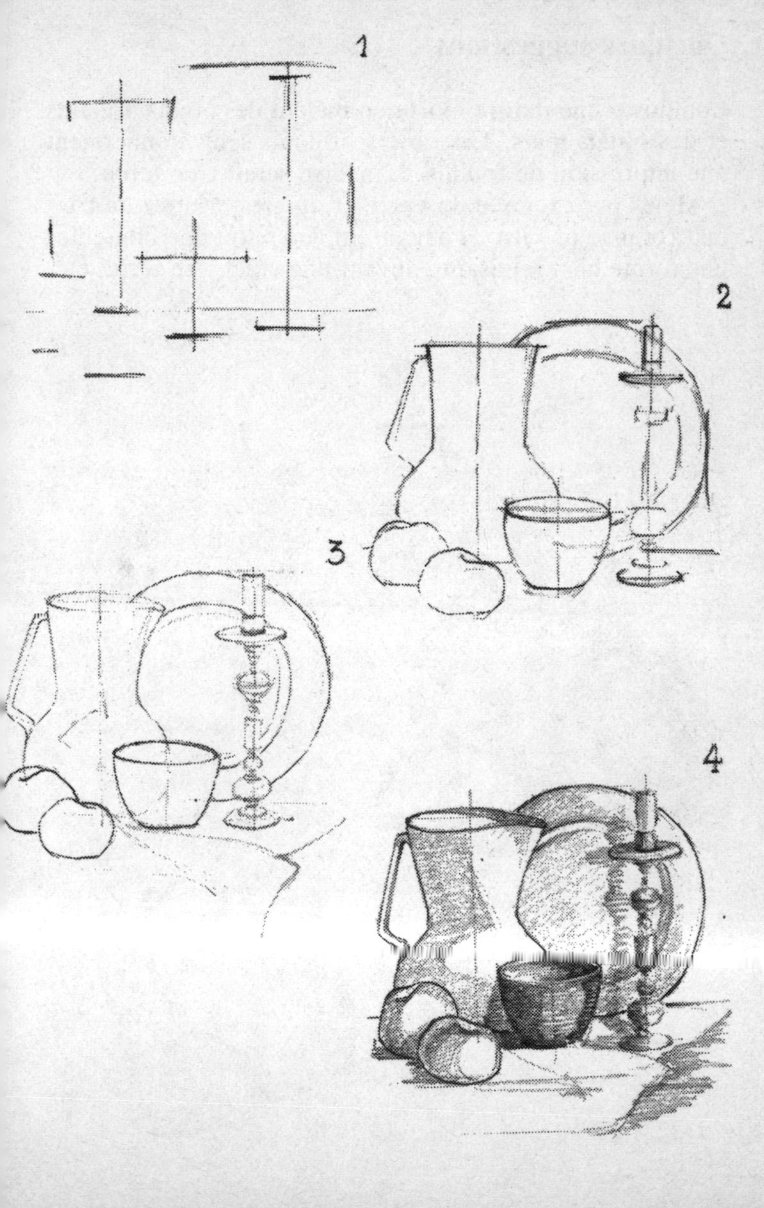
1
2
3
4

Quelques suggestions

Composez une nature morte en mêlant des objets brillants et des objets mats. Les objets brillants seuls donneraient une impression de fouillis. L'inverse serait trop terne.

Mêlez par exemple du verre et du grès. Mettez un fruit mat (orange ou citron) devant un cuivre ou une bouteille ; une forme bien reluisante devant une cruche en terre, etc.

Composez une nature morte en faisant une opposition sujet-fond. Par exemple, un objet plus ou moins neutre sur un fond mi-sombre mi-clair, de façon à ce qu'un côté de l'objet choisi se découpe sur un fond sombre et l'autre sur un fond clair. Ou encore, un objet sombre sur la partie claire du fond et un objet clair sur la partie sombre.

Le paysage

Les paysages ne sont pas aussi «dociles» que les natures mortes qui, elles, se laissent disposer. Il faut les prendre tels qu'ils sont ou plutôt, les choisir tels qu'ils vous plaisent.

Les grands paysages avec lointain

Sans couleur, ils sont très difficiles à rendre. En dessin ou en croquis noir et blanc, ils demandent un avant-plan (arbre, clôture, etc.). La règle est d'ailleurs la même en photographie, où un lointain, sans détail à l'avant-plan, fait en général une photo ratée.

Les paysages moyens

Ce sont par exemple : un village, un groupe d'arbres, une rivière, un port avec quelques barques, etc, avec un lointain qui sert éventuellement de fond et sans avant-plan bien défini.

Dans ces cas-là, il faut bien veiller à l'emplacement de la ligne d'horizon, à la proportion ciel et terre, suivant l'effet désiré. Toutefois, évitez de faire deux parties égales.

Les avant-plans

Très agréables à dessiner, les avant-plans font beaucoup d'effet, à condition que la mise en page soit très soignée. Un bel arbre, une petite chapelle, une vieille porte, exigent que vous vous placiez de façon à les avoir sous leur aspect le plus pittoresque et le plus caractéristique. Ne vous mettez jamais en face ni au milieu. Recherchez un effet d'oblique. Essayez de jouer avec la perspective, sur-

tout pour les vieilles pierres. Soignez particulièrement les détails importants et laissez éventuellement les à-côtés un peu inachevés. Mais attention ! Il faut que cette négligence soit manifestement voulue et ne cache pas une erreur de perspective ou autre.

Un truc pour faciliter vos débuts de paysage

Fabriquez, avec un morceau de carton, un petit encadrement rectangulaire que vous divisez en quatre avec deux fils tendus en médianes. En tenant ce petit cadre plus ou moins éloigné de votre œil, regardez le paysage choisi. l'encadrement en carton, isolant la partie du paysage qui vous intéresse, vous permet de mieux cadrer votre sujet. Les deux fils tendus faciliteront la reproduction sur papier (contrôle des fautes).

A défaut d'un paysage d'après nature, voici une photo qui le remplace. Les divisions représentent les fils tendus dans votre petit cadre. Divisez votre feuille en quatre parties. Ici, l'horizontale ne se situe pas à l'exacte moitié, mais un peu plus bas, et ce, de façon à pouvoir ajouter un peu de ciel.

Commencez par les horizontales et les verticales qui sont les plus proches de vos lignes de construction (les murs et les toits). Puis, partant de ces premières lignes que vous considérez comme justes, placez les lignes essentielles, sans oublier de cligner des yeux pour ne voir que les lignes directrices. Esquissez aussi les montagnes du fond.

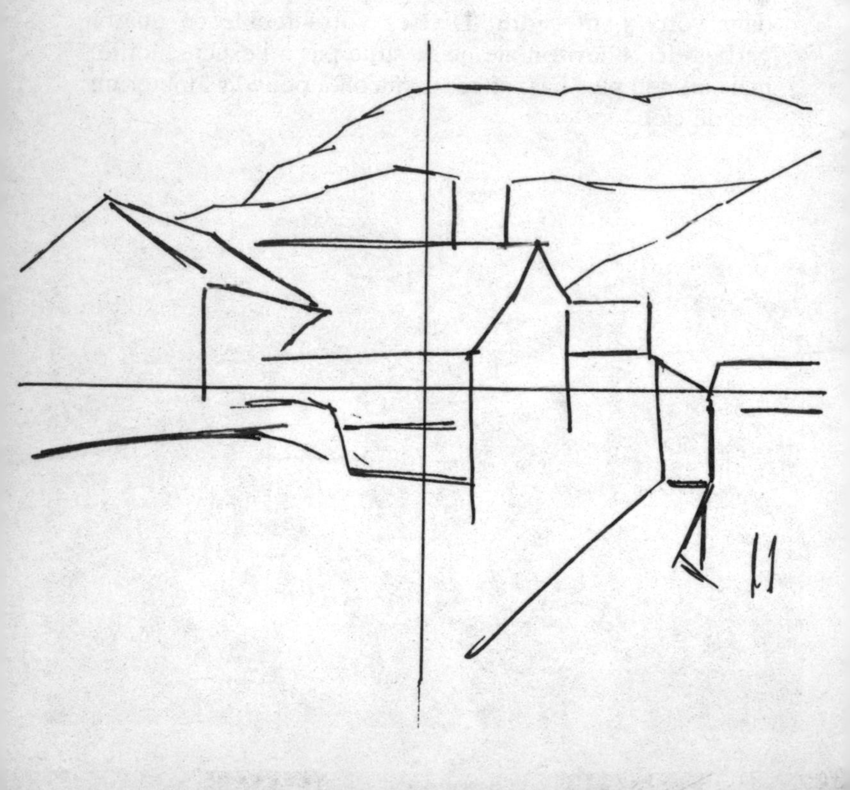

Etape suivante : les différents bâtiments étant situés grosso modo, envisagez-les chacun séparément. Pour plus de sécurité, repartez d'abord du centre. Il arrive, en regardant les détails, que l'on constate qu'un mur est trop long, un toit trop haut, etc. Regardez alors de plus près les détails de construction : les pentes des toits, la position des portes et des fenêtres, les cheminées. Comme pour les natures mortes, vérifiez la forme des vides pour contrôler celle des pleins. Regardez les grandes lignes du talus à l'avant et celles de la montagne du fond.

Votre dessin est maintenant terminé en ce qui concerne le trait. Il faut passer aux ombres. Commencez par celles qui sont essentielles : la terrasse de la maison qui est au centre, les trous des fenêtres, toutes celles qui dépendent de la forme même des bâtiments et non de la direction de la lumière ou de la place du soleil. Détaillez un peu plus le talus, de façon à repérer l'endroit où la végétation fait de l'ombre et est touffue. Indiquez les principales ombres portées. Vérifiez une dernière fois si l'ensemble «tient» avant de passer au finissage.

Pour terminer, plus que jamais, clignez des yeux. Essayez de voir en noir et blanc. Cherchez le plus sombre et le plus clair, les murs pleins de soleil et les murs à l'ombre ; la valeur de cette ombre par rapport aux toits qui eux sont en pleine lumière. Ne craignez pas de mettre quelques noirs qui feront ressortir les parties en pleine lumière. Les ombres du fond doivent être très légères : cela le fait reculer. Tout est toujours moins net dans le lointain. Pour le talus et la végétation à l'avant, n'essayez pas de faire du détail : clignez fort des yeux, et massez par hachures courtes et de sens différents. Serrez plus fort dans l'ombre.

Manuel pratique

Un dessin se fait en plusieurs étapes. Avant toute chose, le sujet choisi doit être décanté, ramené à quelques traits essentiels qui seront ensuite chargés de détails. Ce n'est qu'en dernier lieu que la finition y sera apportée selon la technique choisie.

Pour vous familiariser avec cette indispensable progression, voici une série d'exemples. Le dessin achevé, précédé d'une série de réalisations partielles, figurc en dernier lieu.

Des fleurs

Pour dessiner une fleur, il faut d'abord la ramener à une forme géométrique simple.
Le lys du Japon : tracez l'ellipse formant le contour de la fleur et l'axe oblique partant de la qucue. Divisez cette

ellipse suivant le nombre et la forme des pétales. Indiquez les grandes lignes des pistils. Reprenez le dessin d'un trait net et précis et ombrez en clignant des yeux.
La rose : tout en étant plus difficile à «géométriser», le principe est le même. Construisez en traits légers, puis dessinez les pétales dont dépend la forme des ombres.

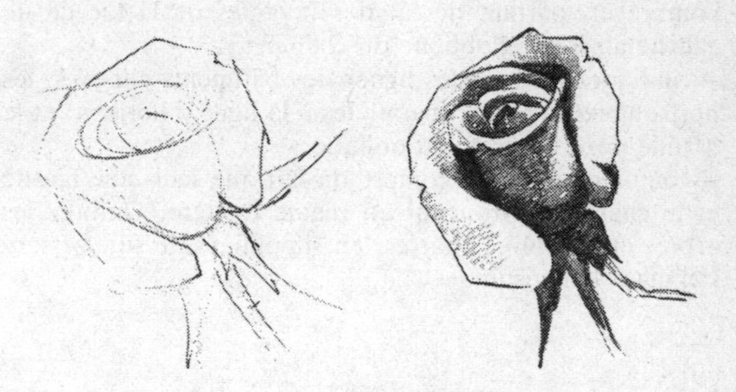

La jonquille : la forme générale est évidente : deux ellipses reliées par un cylindre qui forme l'axe. Il suffit de diviser la grande ellipse suivant les pétales.

Des paysages

Examinons une photo à défaut d'avoir la nature sous les yeux. Comment devez-vous procéder ?
— situez la ligne d'horizon ;
— tracez les verticales de la façade vue de face et dans l'ombre et, partant de là, des fuyantes de la façade de gauche ainsi que l'oblique du chemin ;
— indiquez les grandes lignes des bâtiments annexes, les horizontales des toits (parallèles à la ligne d'horizon) et la grande porte légèrement oblique ;
— ombrez en tenant compte du fait que seuls une façade et le chemin se trouvent en pleine lumière. Ombrez les arbres en hachures courtes, en simplifiant, le sujet essentiel étant la maison.

Pour mettre ce paysage en page, il faut d'abord faire abstraction des arbres qui le cachent en partie.

L'ensemble étant vu de loin, la ligne d'horizon est quasi au ras du sol. Commencez donc par l'horizontale marquant le bas des bâtiments; puis, les verticales de la porte et des murs de droite; ensuite l'oblique du bas du toit de gauche et le dessus de la porte; enfin, l'oblique des grands toits du bâtiment principal.

Ceci étant placé, indiquez l'oblique marquant le bord de la mare en dessous des arbres, puis l'emplacement des trois saules par rapport au bâtiment. Les deux arbres les plus éloignés semblent encadrer la porte : simplifiez leur forme.

La construction étant terminée, ombrez le fond, assez légèrement, de façon à donner de l'importance aux trois saules qui se découpent en noir sur le fond.

Indiquez par des ombres, le dénivellement du terrain au bord de la mare et les reflets dans l'eau.

Partant du paysage précédent, en voici un détail pris en s'approchant. Cette fois, la ligne d'horizon remonte : elle se trouve au milieu de la porte. La ligne du sol remonte vers la droite tandis que celle du dessus de la porte descend. Le sommet des toits descend vers la gauche.

L'arbre placé à droite permet de donner une certaine importance à la porte.

• Remarquez que les **arbres** peuvent très bien se schématiser par quelques traits selon la forme de leur ramure et la densité de leur feuillage.

Ce paysage est un chassé-croisé d'obliques. Situez d'abord celles du fond : le bout du champ, le sommet des arbres et les lignes du lointain et esquissez les bottes de seigle en « géométrisant ».

Dessinez le contour des arbres du lointain et assouplissez les formes géométriques des bottes de seigle.

Hachurez les grandes masses d'ombre au fond, et ombrez les bottes d'après l'éclairage naturel.

Achevez le dessin en travaillant par hachures courtes contrariant légèrement leur inclinaison pour les parties les plus sombres et donnez quelques traits bien nets pour représenter la paille.

Situez les horizontales du fond. L'oblique marquée par les rochers de l'avant-plan et la diagonale qui indique la direction principale de l'arbre. En clignant des yeux, marquez les grandes lignes qui délimitent les masses principales.

Partant de ces lignes de construction, détaillez d'abord le fond en faisant abstraction de l'arbre. Esquissez les rochers d'avant-plan en leur donnant du volume par la forme des ombres. Puis, détaillez l'arbre branche par branche.

«Massez» les ombres en commençant toujours par ce qui est le plus éloigné. Dessinez le détail des pierres en indiquant toutes les parties ombrées. L'arbre se découpant en noir, sera directement au net.

Soit toujours au crayon, soit avec une autre technique de votre choix, achevez le dessin en tenant compte des différences de valeur : le fond doit paraître plus éloigné : ombrez-le très légèrement; les rochers seront de plus en

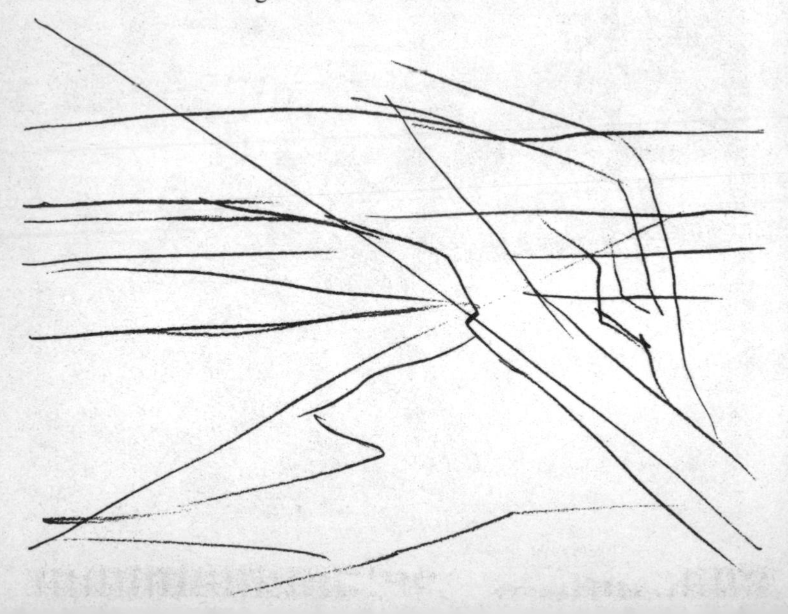

plus noirs en vous rapprochant de l'avant-plan. Enfin, faites l'arbre très noir puisqu'il doit rester le sujet principal.

Situez l'axe de l'église, les verticales des maisons à l'avant-plan (à gauche et à droite), horizontale du sol et les toits des maisons du centre.

Partant de vos lignes de construction considérées comme justes, dessinez les différents bâtiments en tenant compte — pour les toits — de l'épaisseur de neige.

Massez les ombres principales sans faire ressortir les détails qui ne doivent apparaître qu'à la phase ultérieure.

Accentuez le contraste noir et blanc puisque c'est un paysage de neige, et ce, en faisant les ombres de l'avant-plan très noires (respectez, dans les hachures, le sens des planches lorsqu'il s'agit de maisons en bois). Les maisons du centre doivent être plus claires parce qu'elles sont plus éloignées.

A l'intérieur

Tracez les verticales du chambranle, l'oblique sur le sol, les deux fuyantes de la porte ouverte et les lignes de fond par rapport à la hauteur donnée au chambranle.

Détaillez la porte, le chambranle, ses attaches, la jarre. Bref, transformez vos lignes de construction en objets précis.

Recherchez les détails. Les découpes des pierres à l'avant-plan, la forme exacte de la jarre, les poules, la boiserie.

Ombrez en clignant des yeux pour donner un relief en observant les différences de valeur de chaque plan.

V

Les personnages

Le corps humain

En dessin, chacun a sa petite spécialité. l'un préfère les voitures, l'autre les maisons ou encore, les fleurs, les arbres ou bien les coiffures, les profils. Mais, quand il s'agit de dessiner un personnage, comment faut-il s'y prendre ?

Les proportions

Décomposons le problème et intéressons-nous d'abord aux proportions. Celles-ci dépendent de l'âge du modèle. Les dessins qui suivent vous donnent les proportions-type pour chaque âge.

On oublie souvent qu'un enfant a la tête proportionnellement beaucoup plus grosse qu'un adulte. Les peintres primitifs eux-même l'ignoraient : il suffit de voir la différence entre le bébé d'une vierge à l'enfant d'un primitif italien et les petits amours de Rubens ou de Boucher...

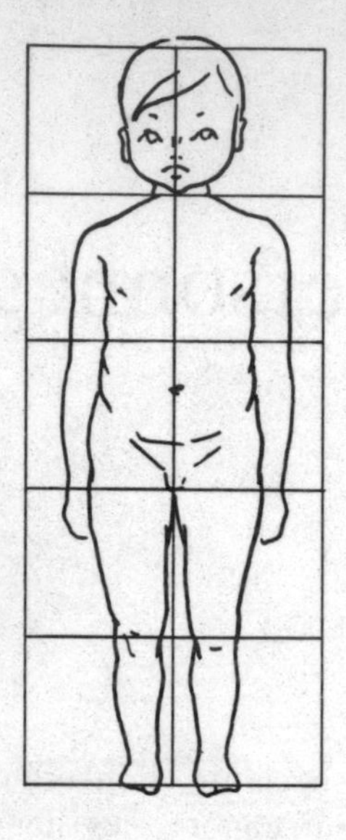

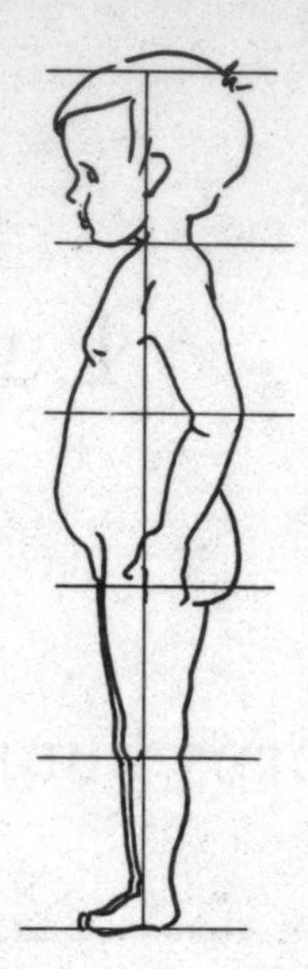

Un enfant n'est pas un adulte en plus petit. La tête d'un **bébé de deux ans** entre cinq fois (tête comprise) dans la hauteur totale. Tout potelé, le bébé n'a quasi pas de cou.

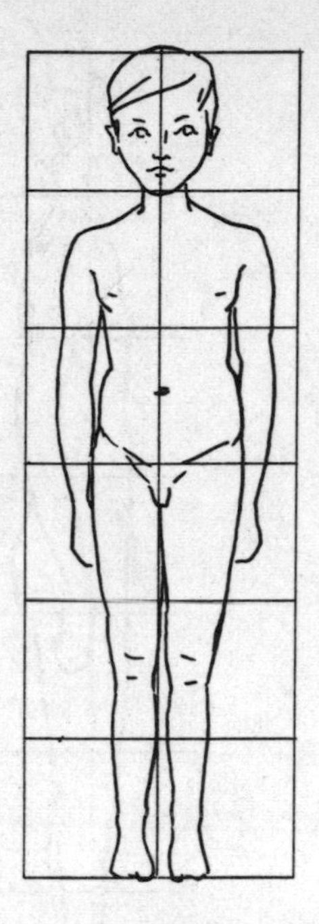

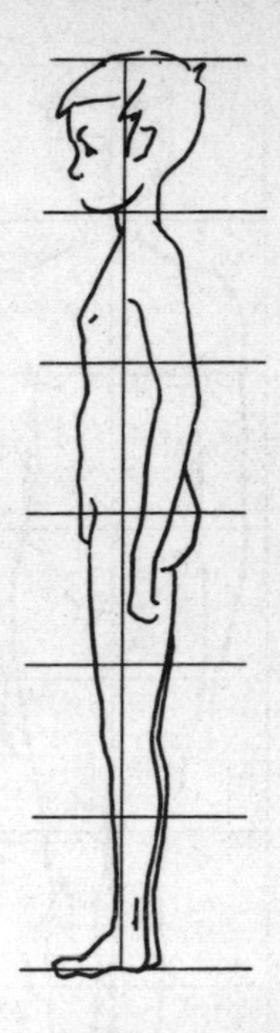

L'enfant de six ans s'affine déjà : la tête entre six fois dans la hauteur totale ; le cou s'allonge, ce qui n'empêche pas l'un d'être mince et grand pour son âge et l'autre d'être resté dodu comme un gros bébé.

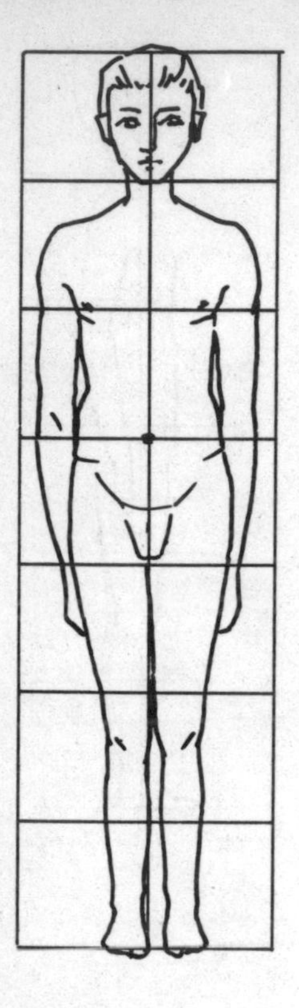

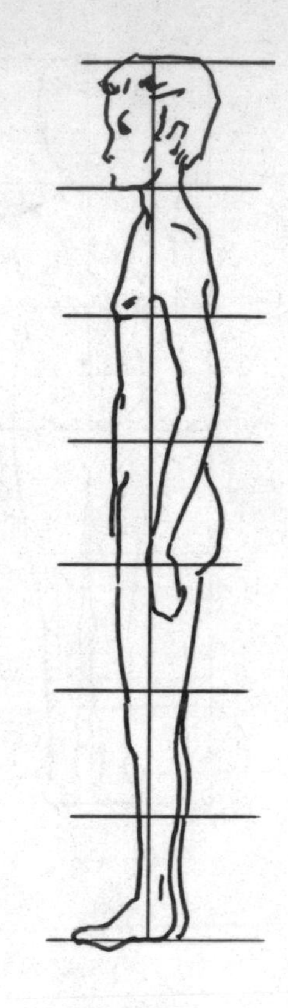

A treize-quatorze ans — que les jeunes lecteurs ne se vexent pas — l'enfant est souvent « ni chair ni poisson ». Petit et gros ou déjà longue perche, une règle générale est difficile à établir. Disons que, en moyenne, il faut sept têtes, ce qui le rapproche de l'adulte.

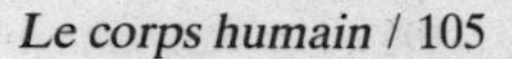

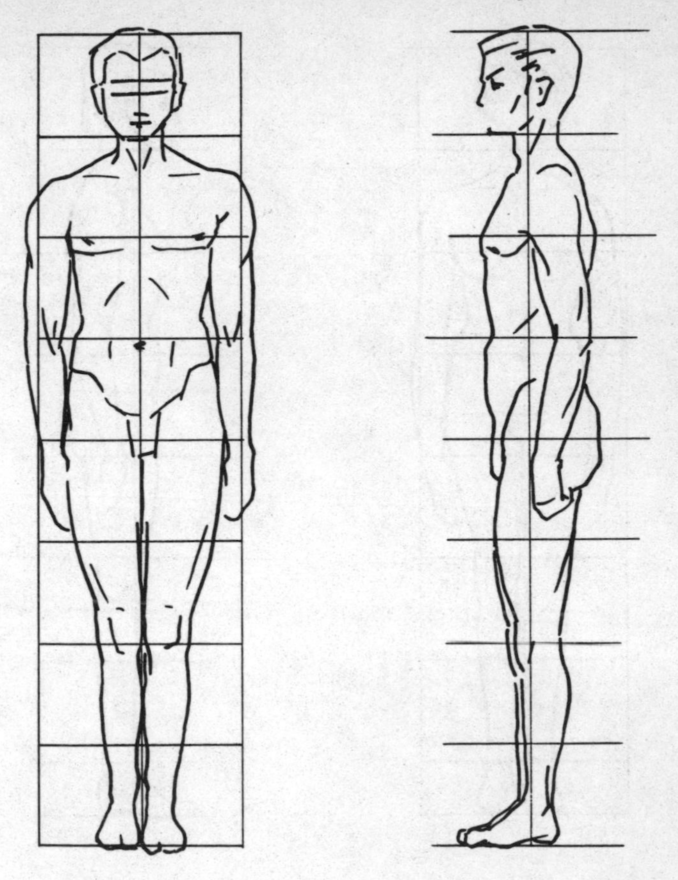

L'adulte fait sept têtes et demie à huit têtes ; du petit gros au grand maigre, il y a toute une gamme !

Arrêtons-nous à une belle moyenne et considérons qu'un homme d'un mètre quatre-vingts, bien bâti, se divise en huit têtes, et une femme de grandeur moyenne et bien faite en sept têtes et demie.

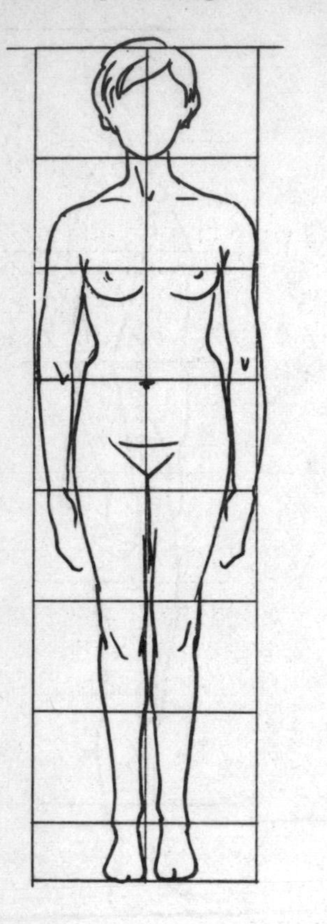

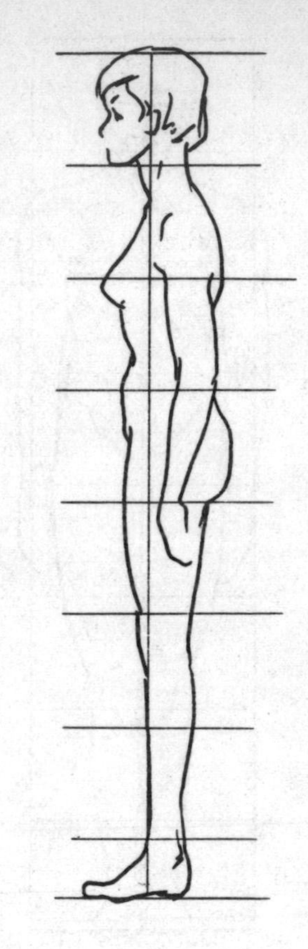

L'âge peut faire varier ces règles : un athlète parfait peut se tasser avec les années et se retrouver avec sept hauteurs de tête à soixante-quinze ans !

Le squelette

La charpente est un second aspect fort important. Autrement dit, il faut avoir certaines connaissances anatomiques pour réussir un croquis de personnage.

Reprenons ici encore notre livre d'histoire de l'art. S'il est certain que les Grecs avaient une connaissance parfaite du corps humain dès le cinquième siècle av. J.-C., cela n'a pas empêché que l'on reparte à zéro à chaque période ultérieure. L'art à ses débuts, tout comme l'enfant, représente des personnages qui sont presque une convention : ce ne sont que vêtements raides avec une tête, des mains et des pieds. Petit à petit, on les voit se remplir, prendre vie, tant par le mouvement que par la forme, et acquérir enfin une troisième dimension. Le modelé va leur donner le relief qui manquait.

Pour arriver à ce réalisme, il faut une construction solide et, par-là même, une connaissance suffisante du corps humain. Partant de ces bases générales, vous deviendrez soit un Michel-Ange, soit un Ingres, selon votre tempérament.

Bien sûr, le squelette tel que vous le verrez aux pages suivantes, vous ne le dessinerez jamais. Vous n'en dessinerez que la forme générale.

Ce point de départ de tout croquis de personnage peut se présenter de différentes façons : il y a le bonhomme en fil de fer, c'est-à-dire un schéma très simplifié du squelette : il y a le bonhomme en bois articulé auquel on peut donner toutes les positions de l'être humain. L'un et l'autre permettent de donner l'attitude du personnage, de le camper dans différentes positions. Il ne reste plus alors qu'à l'habiller, de chair d'abord et puis de vêtements.

Voici, en quelques pages, les vues les plus utiles du corps humain. En squelette d'abord, puis en muscles et enfin tel quel, sous son apparence normale.

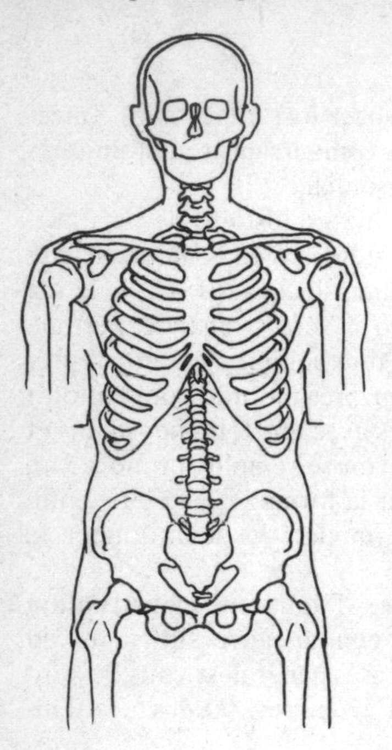

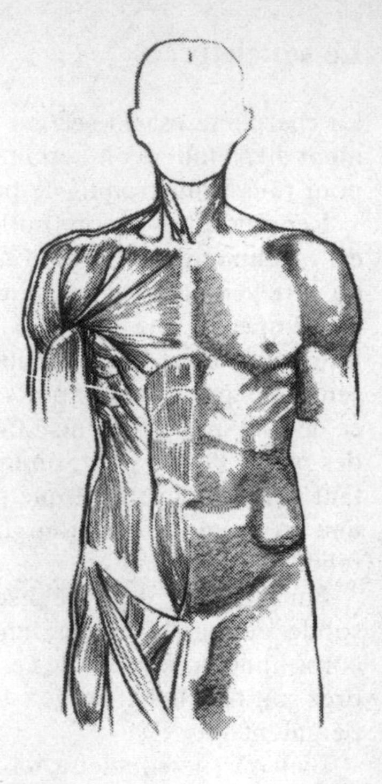

Regardez-les attentivement et vous remarquerez que la position de certains os se retrouve nettement sous les muscles. Quant au modelé, il dépend de l'ensemble.

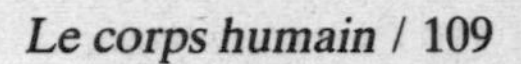

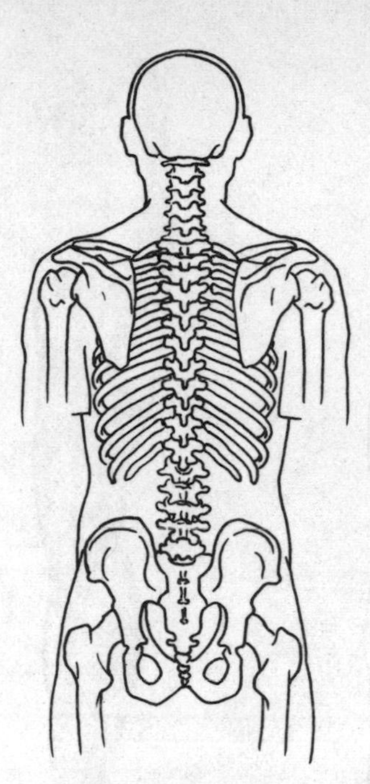

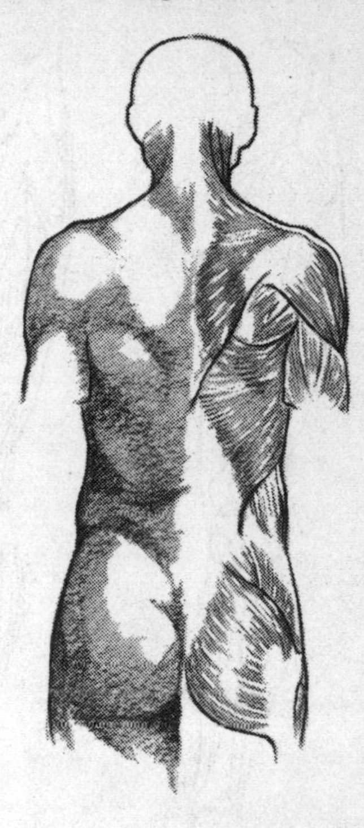

S'il s'agit d'un corps de femme, le squelette, à part la forme du bassin, est pareil. La différence réside surtout dans la musculature, bien que certains artiste aient peint ou sculpté des femmes aussi musclées que des athlètes, tandis que d'autres, accentuant la différence, représentaient des hommes plus bruns et plus musclés.

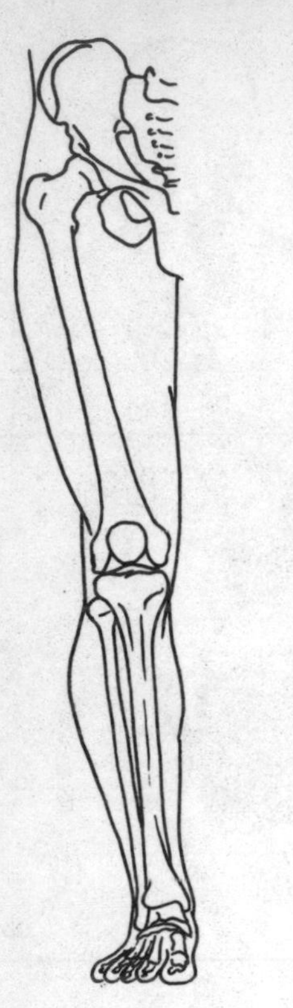

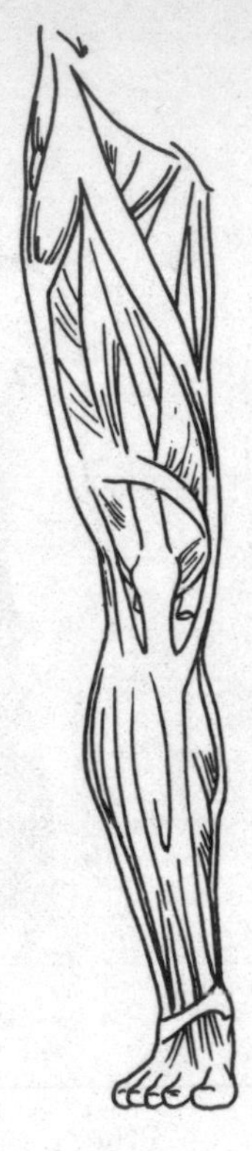

Voici **une jambe d'homme** vue de face.

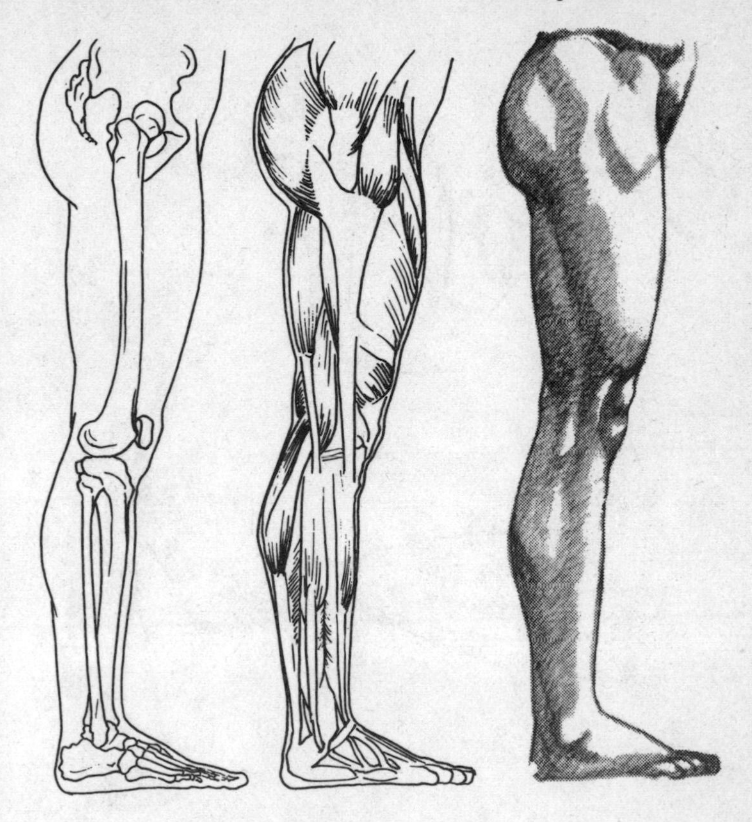

Remarquez comment, malgré les muscles qui s'entremêlent, la direction de l'os de la cuisse se retrouve dans le modelé. Ceci se manifeste aussi bien de face que de profil.

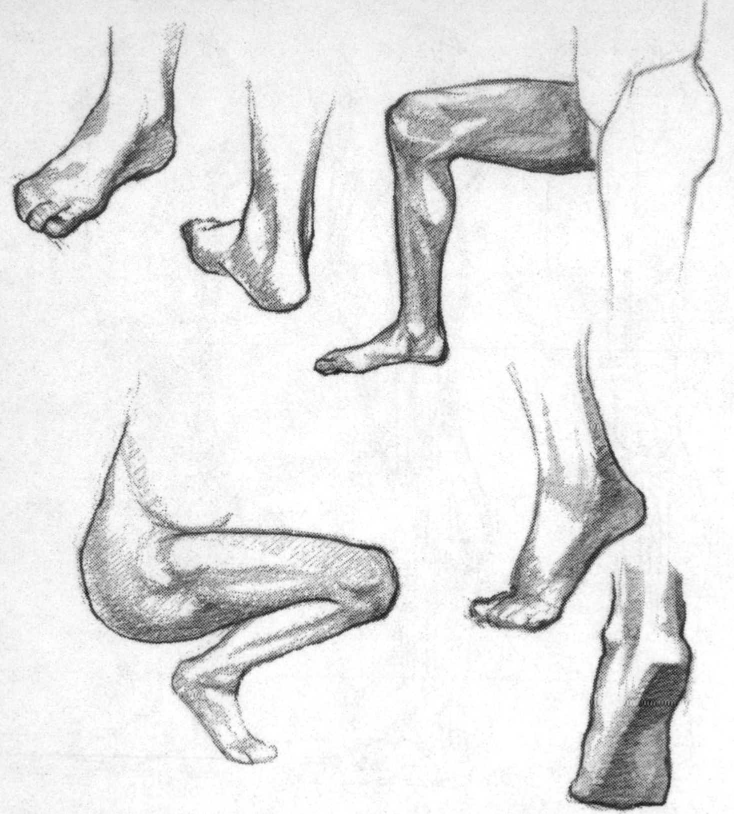

Un pied est aussi difficile, si pas plus difficile à dessiner qu'une main, surtout quand il est en raccourci.

Pensez à son ossature, à sa construction. D'abord les grandes lignes et le contour extérieur. Situez les articulations et les ombres feront le reste. Quand le pied est chaussé, le dessin est plus facile : on peut se baser sur les coutures de la chaussure. Néanmoins qu'il s'agisse de hauts talons ou de chaussures plates, il ne faut pas oublier qu'il y a un pied dedans et que celui-ci se rattache à une cheville.

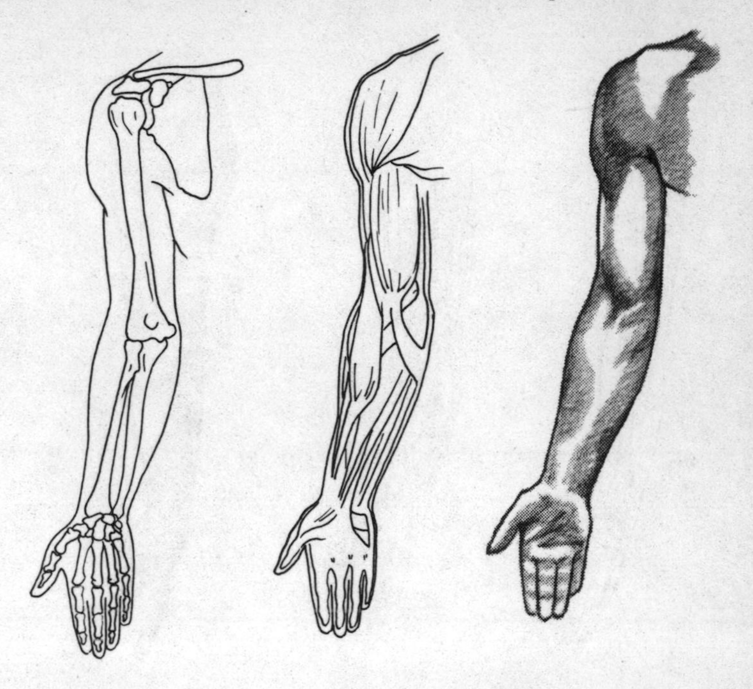

Pour dessiner **un bras,** tout comme une jambe d'ailleurs, il faut savoir «ce qu'il y a dedans». Les membres représentés ici sont bien musclés, ceci dans le but de faciliter la compréhension. Néanmoins, les positions sont simples, sans déformations dues aux mouvements.

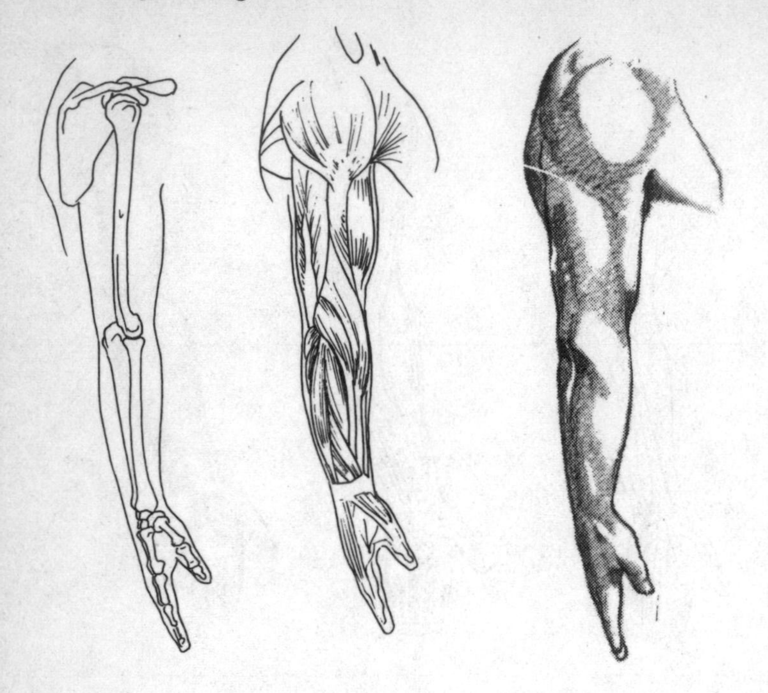

Vous verrez, aux pages suivantes, différentes positions de bras, muscles tendus ou relâchés, des mains de tout âge dans diverses positions ainsi que leur construction. Les mains et les pieds aussi, sont difficiles à dessiner. Contrairement à ce que l'on croit souvent, une main est plus compliquée qu'un visage, mais tout aussi importante, car elle trahit parfois mieux la personnalité.

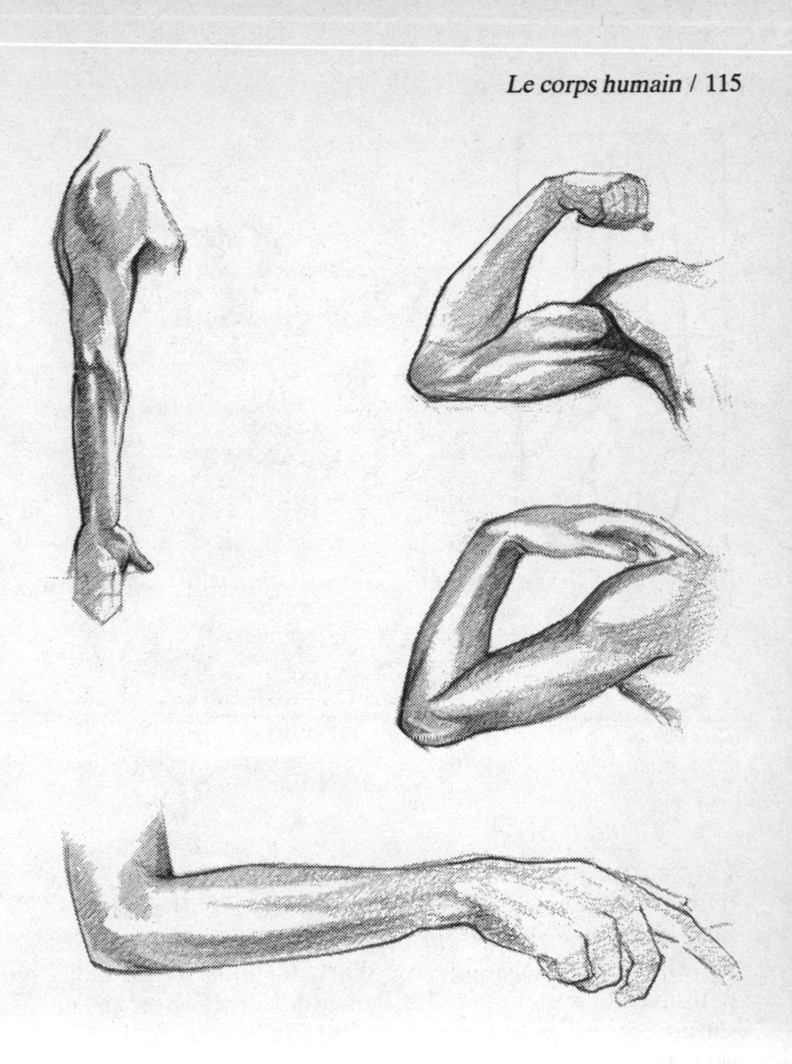

Un bras plié peut être souple ou contracté par l'effort ; les muscles alors se gonflent et se marquent de façon beaucoup plus précise.

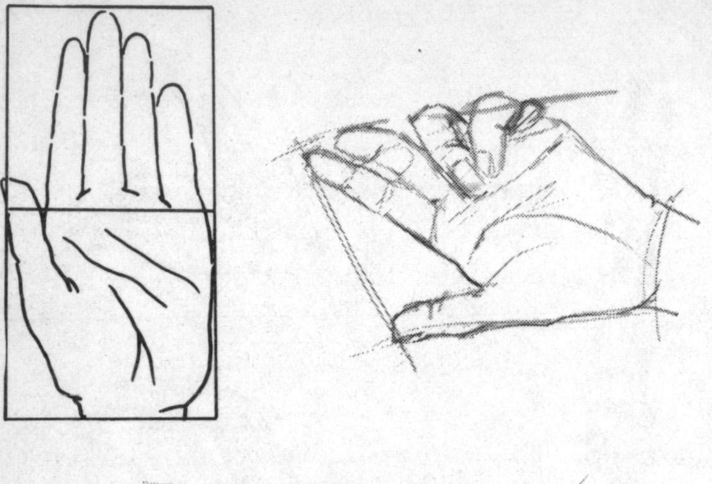

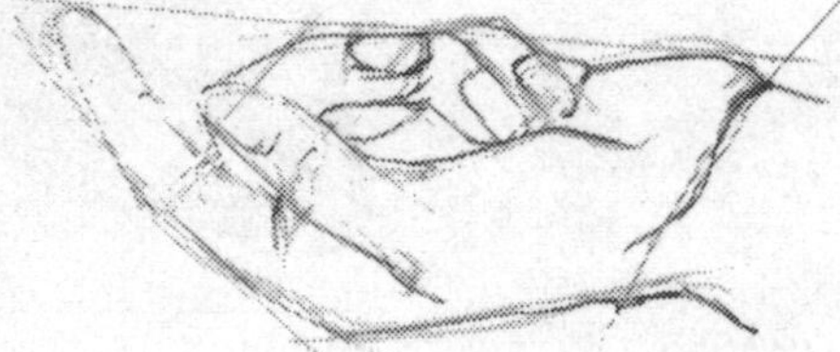

La construction d'**une main,** comme celle d'un corps ou d'un visage, dépend de ses lignes directrices. Il s'agit d'abord de géométriser la forme générale, puis de tracer les lignes marquant chaque série d'articulations. Il est indispensable de rester dans les lignes de direction et de ne s'attaquer au modelage et au détail que lorsqu'on est certain de sa construction.

D'autres facteurs, tels que l'âge et le sexe, peuvent influencer le dessin d'une main. Depuis la petite menotte jusqu'à la main osseuse et toute ridée, en passant par la main virile, énergique à la longue main fine élégamment féminine, les différences sont énormes.

La reproduction ci-dessus représente une main dessinée par Léonard de Vinci. La technique employée est le crayon noir sur papier teinté, les clairs sont ajoutés en blanc pour donner plus de relief.

Les collections sont pleines de ces études de détails. Préparations pour une composition plus importante, ils témoignent du souci de perfection, de la recherche de la ligne la plus parfaite et convenant le mieux à l'ensemble.

La tête

Dans cet ensemble qu'est le corps humain, la tête est, avec les mains, ce qu'il y a de plus difficile à dessiner.

En dehors de l'expression qui fait la ressemblance, le dessin de la tête obéit à certaines règles bien précises et peut se décomposer en plusieurs parties. Il y a d'abord des proportions générales ; ensuite, ce que deviennent ces proportions quand la tête bouge ; enfin les détails : les yeux, le nez, la bouche, pris séparément.

Les proportions

Dans cet œuf sur la pointe qu'est un visage de face, il faut retenir quelques grandes lignes de construction. Un axe vertical part du milieu du front pour aboutir au milieu du menton, lorsque le visage est de face. Il s'incline à gauche ou à droite en même temps que la tête. Dans un visage de trois quarts, cet axe dessine une courbe légère suivant toujours le centre du front, le point entre les sourcils, le centre de la base du nez, celui de la bouche et du menton. De profil, il devient le contour avant de la tête.

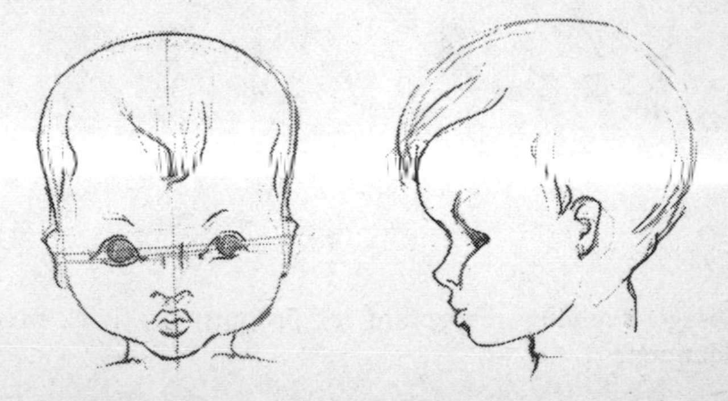

En hauteur, un visage de face se divise en quatre : les cheveux, le front, le nez, la bouche et le menton. Les oreilles se placent à hauteur du nez. Les lignes de construction sont horizontales quand le visage est droit et, bien sûr, s'inclinent avec lui. Elles peuvent aussi monter ou descendre si la tête se baisse ou se relève.

En grandissant, les proportions d'un visage d'enfant se rapprochent de celles de l'adulte.

Visage d'adultes respectant les proportions citées précédemment.

Avec l'âge, les proportions restent les mêmes, mais le visage s'affaisse.

Visage de trois quarts

En repartant du schéma de base, nous voyons qu'un visage qui tourne vers la gauche ou vers la droite, à condition de rester droit, garde ses quatre divisions verticales. L'œuf se déforme puisque l'arrière du crâne apparaît. Seul l'axe vertical se déplace à gauche ou à droite et s'arrondit légèrement, mais sa fonction reste la même. Il marque toujours le centre du visage et permet de situer, à leur place, les yeux, le nez, la bouche.

Visage incliné (haut et bas)

Dans un visage incliné, mais toujours de face, l'axe vertical ne bouge pas. Ce sont les constructions horizontales qui changent. Incliné vers le bas, le quart du haut devient plus ou moins grand suivant l'inclinaison du visage. Ces lignes, suivant en réalité le volume du crâne ou de l'œuf, s'arrondissent puisqu'elles sont vues en perspective. Incliné en arrière, c'est le menton qui devient plus important.

Visage incliné (à gauche ou à droite)

Quand un visage s'incline d'un côté ou de l'autre, tout en restant de face, c'est l'ensemble des constructions, verticales et horizontales, qui suit le mouvement. Si, de plus, il est de trois quarts, les choses se compliquent. Il suffit toutefois de se rappeler les directives précédentes et de les rassembler, soit en observant soigneusement son modèle, soit en raisonnant la construction s'il s'agit d'un dessin d'imagination.

L'œil

Après la construction générale, voici les détails.

Le dessin d'un œil est chose complexe et une bonne observation s'impose si l'on veut réussir.

Regardez l'œil attentivement de face, de profil et dans toutes les autres positions; remarquez la façon dont la paupière le recouvre, son épaisseur, le détail des coins. Regardez l'œil bouger, et essayez de le dessiner dans ces diverses positions.

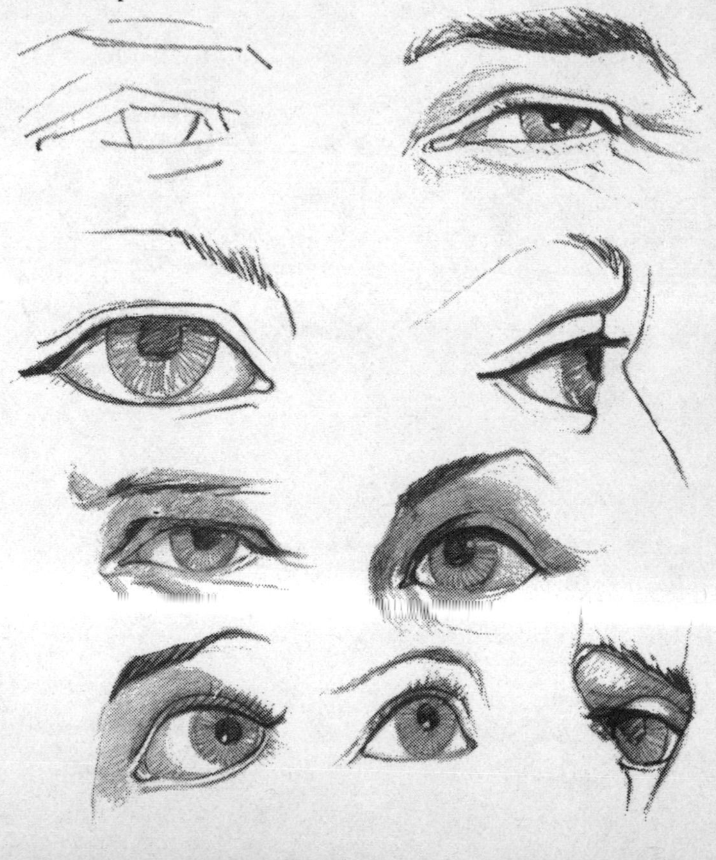

La bouche

Après avoir observé une bouche type — la forme différente de la lèvre supérieure et de la lèvre inférieure —, regardez autour de vous et vous verrez qu'elles sont toutes différentes ! Il y a les lèvres pleines et charnues, les bouches larges, celles qui sont tristes ou gaies, celles qui restent légèrement entrouvertes. Il y a les coins qui montent ou qui descendent…

Le nez

Ils sont tous très différents, mais ils partent tous de la même construction : une demi-boîte d'allumettes coupée en diagonale.

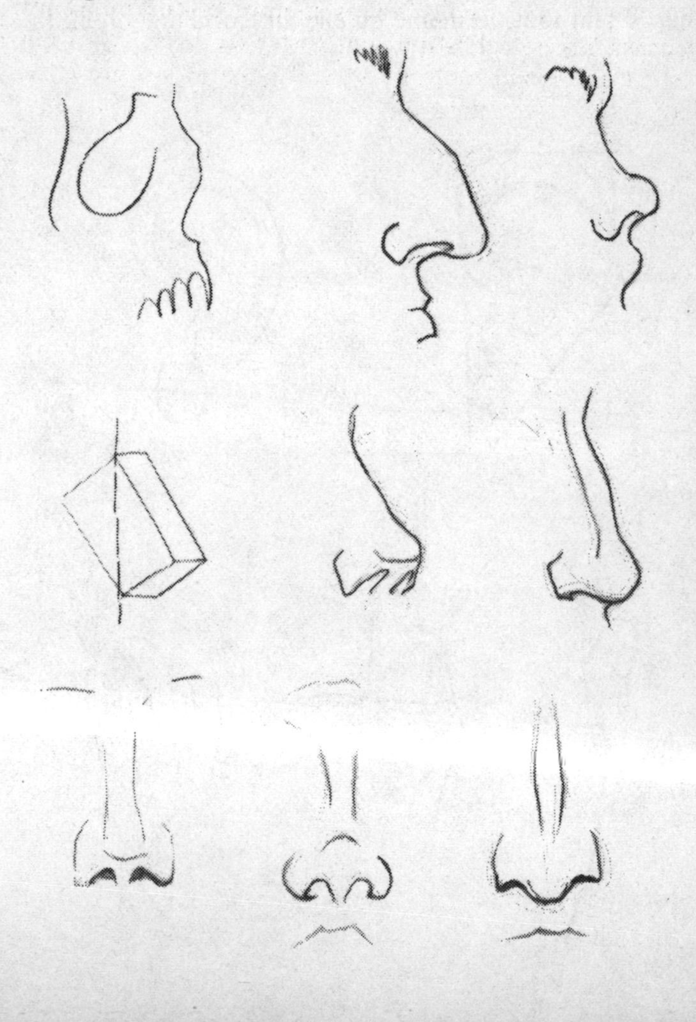

L'oreille

L'oreille-type s'inscrit dans un rectangle, mais elle est rarement vue de face. Bien qu'elle soit moins importante que les autres éléments du visage, quand il s'agit de dessiner, il faut tout de même qu'elle ait l'air d'une oreille !

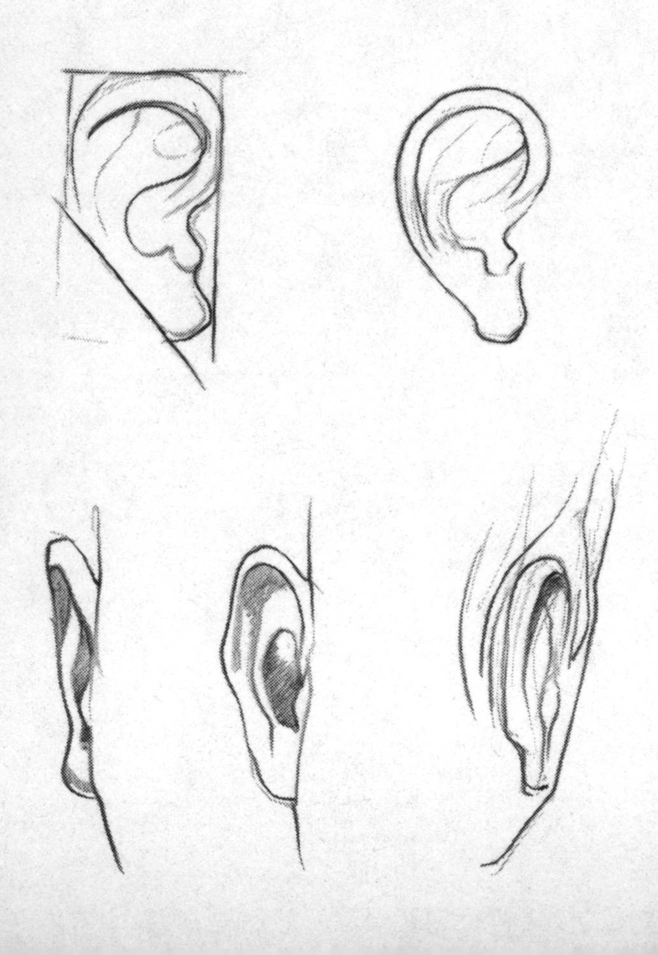

Les cheveux

Comme les traits d'un visage, l'implantation des cheveux est un signe distinctif. Du front bas à la calvitie, en passant par les fronts dits «dégagés», il y a, ici encore, un dessin précis qui doit être bien observé.

S'il s'agit d'un dessin d'après nature, il faut d'abord considérer la forme générale de la tête, cheveux compris : c'est-à-dire, le départ des cheveux autour du visage.

La coiffure ensuite se construit comme une nature morte ou un paysage : il faut observer des lignes générales et masser les ombres. Enfin, le dessin s'achève au trait en marquant le sens des mèches.

Dans le cas d'un dessin de «coiffure», il faut faire intervenir la stylisation. L'interprétation devient alors personnelle et va de la simplification du trait, au dessin fini, presque technique, retraçant les détails qui permettraient à un coiffeur de réaliser la même coiffure.

Les expressions

Dessiner une tête, ce n'est pas simple ; lui donner l'expression choisie ou observée, c'est plus complexe encore ; c'est lui donner la vie.

Observez les visages autour de vous : il en est qui sont naturellement souriants, d'autres éternellement grincheux. Un visage habituellement sombre peut s'éclairer d'un sourire, tout comme un visage souriant peut s'éteindre brusquement. La douleur aussi peut changer un visage : il suffit de regarder quelqu'un qui souffre de migraine...

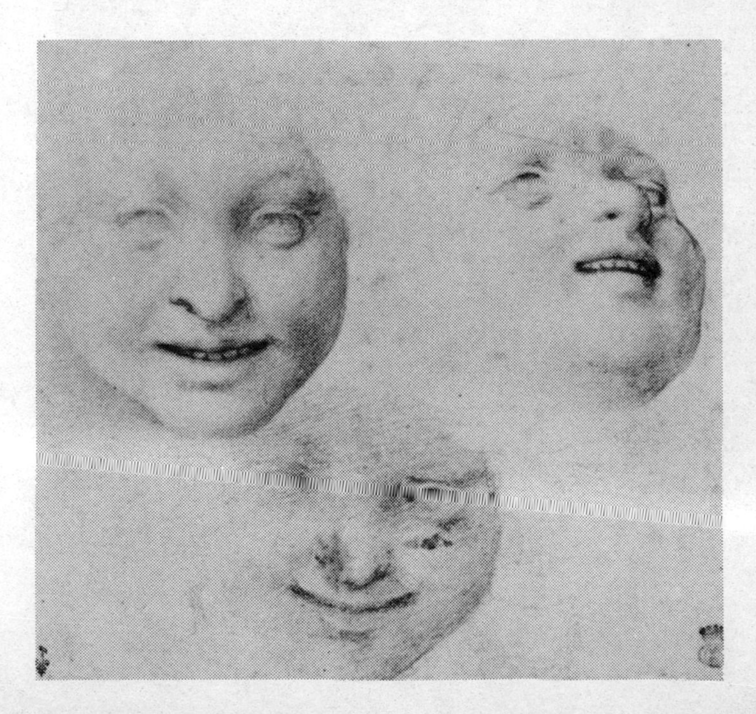

La joie

Schématiquement, la joie est représentée par des traits qui remontent. Une petite ride bien placée près de l'œil peut donner un air joyeux.

Le rire est à employer en croquis ou en bandes dessinées. Il faut mieux l'éviter en portrait car, à la longue, il se fixe et devient facilement grimace.

Le chagrin

Contrairement à la joie, le chagrin est représenté par des lignes tombantes. Le front se fait soucieux; le coin extérieur des yeux et des sourcils semble descendre. Les coins de la bouche aussi s'affaissent; ceci plus ou moins fort selon qu'il s'agit d'un chagrin silencieux ou d'une douleur spectaculaire.

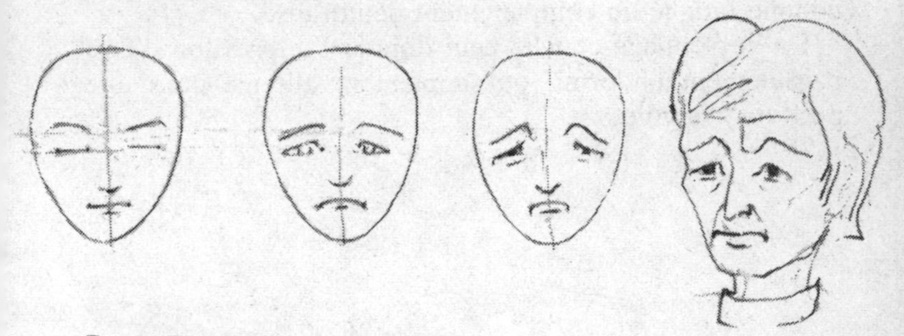

La colère

Ici les traits prennent plutôt une stricte horizontalité. Les sourcils se rapprochent. L'œil devient une barre. Les creux du nez s'accusent davantage. Le menton même devient plus dur, surtout s'il s'agit d'une colère silencieuse. Quant à l'explosion de colère, elle peut prendre tant de formes différentes qu'il est absolument impossible de fixer une règle générale.

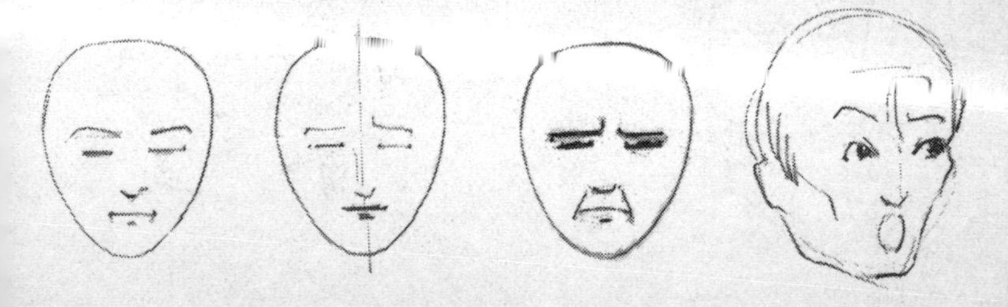

L'expression dans l'attitude

En dehors du visage, d'autres parties du corps peuvent traduire un état d'âme : les mains, la position des bras, les épaules, la démarche même.

Il ne faut pas tellement de détails pour arriver à l'exprimer; un simple passant schématisé peut donner : un homme normal, un homme assuré, un prétentieux, un homme fatigué ou complètement démoralisé.

Un personnage couché peut donner l'impression d'être paisiblement endormi, ou simplement allongé dans une position alanguie.

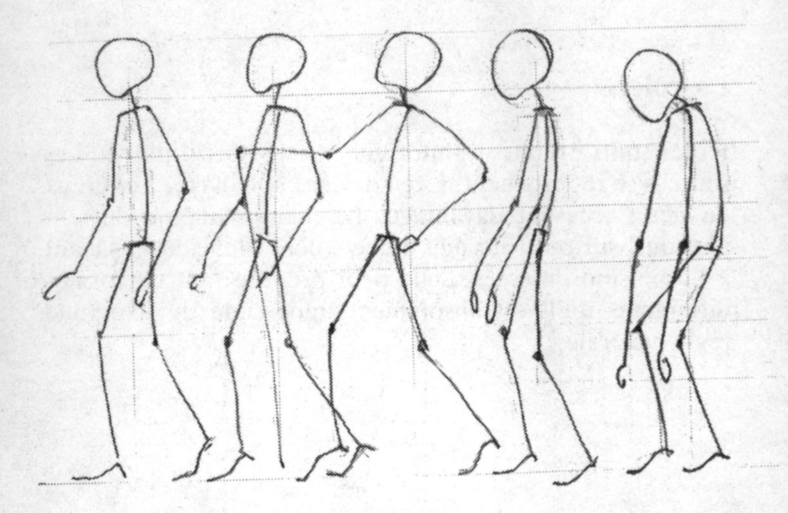

VI

Le mouvement

Pour étudier le mouvement, ramenons notre personnage à la simplification extrême.

Partons du bonhomme en fil de fer qui schématise le squelette. Lorsqu'on a bien en tête les proportions, on

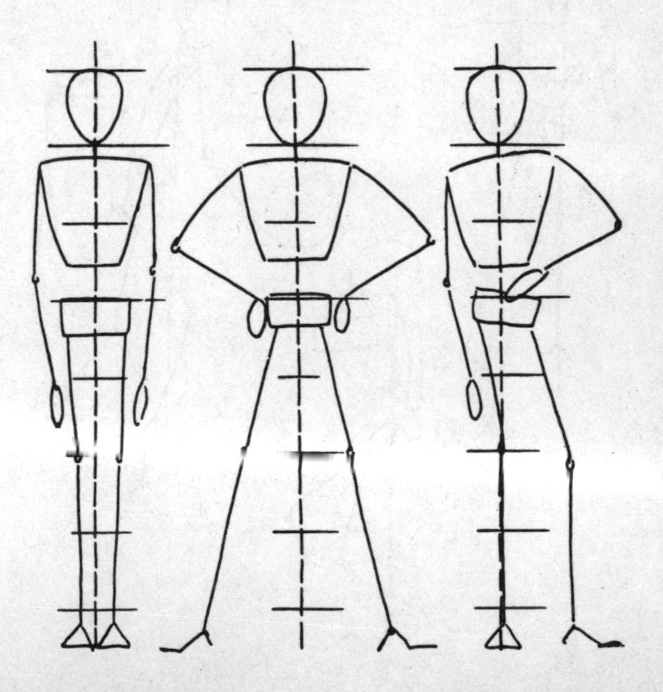

peut lui donner toutes les positions. Il suffit ensuite de l'habiller de muscles, puis de vêtements.

Néanmoins, certaines règles sont à respecter : le personnage doit «tenir»!

Centre de gravité

Pour qu'un personnage — ou un objet — tienne debout sans point d'appui, il faut — et il suffit — que la verticale passant par son centre de gravité (en l'occurrence, le centre du cou) tombe dans la base de sustentation, c'est-à-dire

dans l'espace délimité par les pieds. Ceci correctement appliqué, vous pouvez donner à votre personnage toutes les attitudes possibles.

Mécanique du mouvement

De la marche à la course, ce sont d'abord les bras et les jambes qui se mettent en mouvement ; ensuite, le corps se penche en avant pour rétablir l'équilibre (voir centre de gravité).

Pour tirer un poids, le corps se penche également en avant afin de compenser ce poids.

• **Mouvement de bras**
Ce bonhomme en fil de fer que vous connaissez déjà peut prendre toutes les positions, mais en respectant les proportions : c'est-à-dire qu'un bras qui se plie ou qui se lève garde la même longueur.

Le coude, par exemple, se déplace selon un arc de cercle dont l'articulation de l'épaule serait le centre.

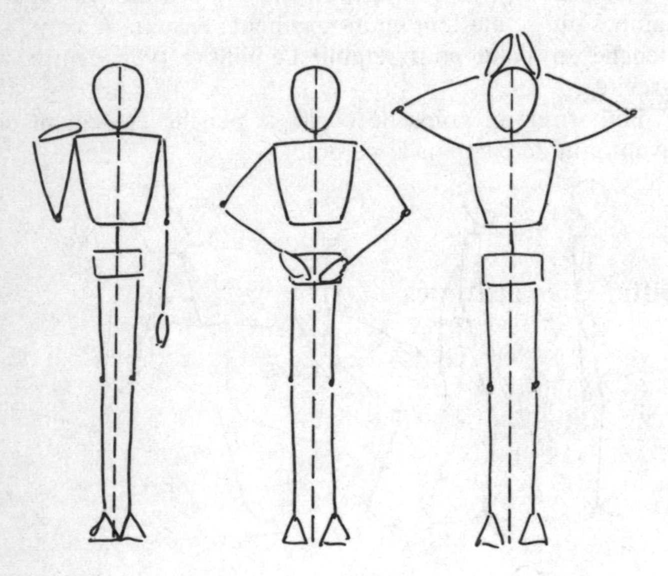

• **Mouvement de jambes**
Comme le bras, la jambe peut se déplacer de toutes les façons, pourvu que chaque partie garde sa longueur initiale et que le mouvement choisi soit anatomiquement possible, bien sûr. Une articulation ne peut se plier que dans un sens.

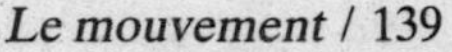

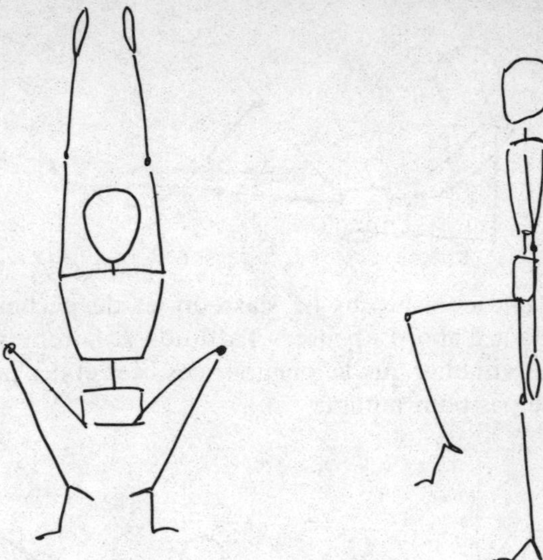

Différentes attitudes

Si vous avez bien en tête les proportions du bonhomme, vous pouvez maintenant lui donner toutes les positions. Cette technique est surtout valable pour le dessin d'imagination, quand il s'agit de reconstituer une scène et de camper des personnages sans avoir un modèle.

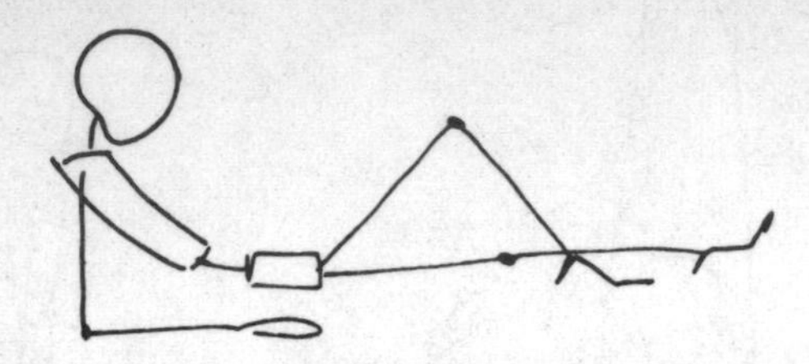

Il y a plusieurs façons de s'asseoir et de pêcher à la ligne : il faut d'abord «penser» l'attitude et la représenter ensuite sans oublier que la longueur des bras et des jambes ne change pas pour autant.

Une fois le personnage bien campé, il suffit de l'habiller en tenant compte des notions anatomiques dont il a été question au début. Ce fil de fer doit devenir un bras dans une manche partant d'une épaule rattachée au corps ; une jambe qui s'attache à la hanche. L'œuf devient une tête, avec des cheveux, qui s'attache au corps par l'intermédiaire du cou.

Quand il s'agit de dessiner des petits enfants, il faut songer aux proportions et tenir compte aussi des plis et rondeurs caractéristiques !

Quand vous vous sentirez assez fort pour abandonner le bonhomme en fil de fer, remplacez-le par les grandes lignes de construction qui donnent le mouvement. Il y a celles qui sont toujours là : la ligne des épaules, celle des hanches, la colonne vertébrale. Eventuellement s'y ajoutent : un mouvement de jambe ou de bras, ou toute autre caractéristique de la silhouette choisie.

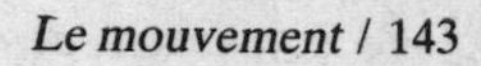

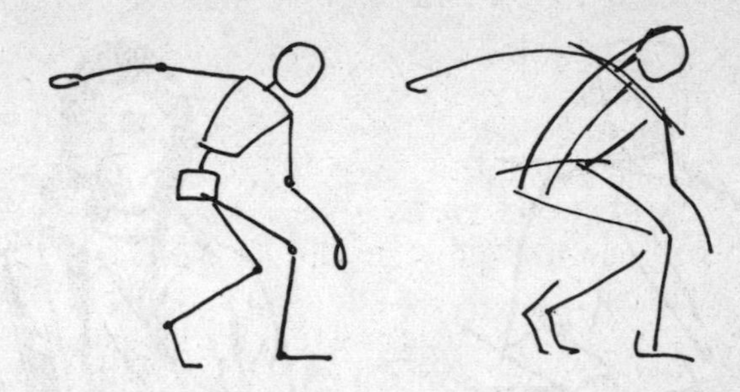

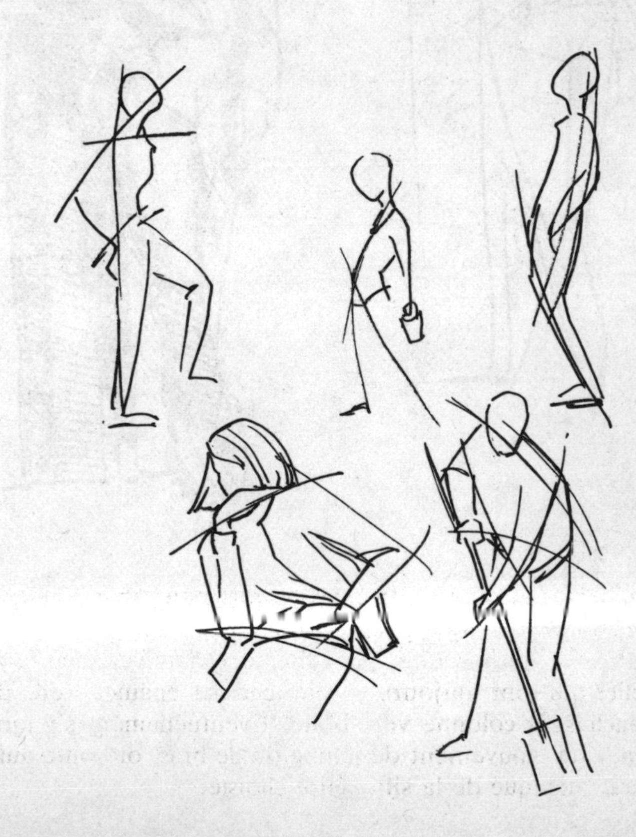

Personnages articulés

En dehors du personnage articulé, il existe de petits mannequins articulés que l'on peut bricoler soi-même ou acheter dans le commerce. Ils ont un avantage sur le bonhomme en fil de fer, en ce sens qu'on peut leur donner la position voulue et même les habiller et travailler ainsi d'après modèle.

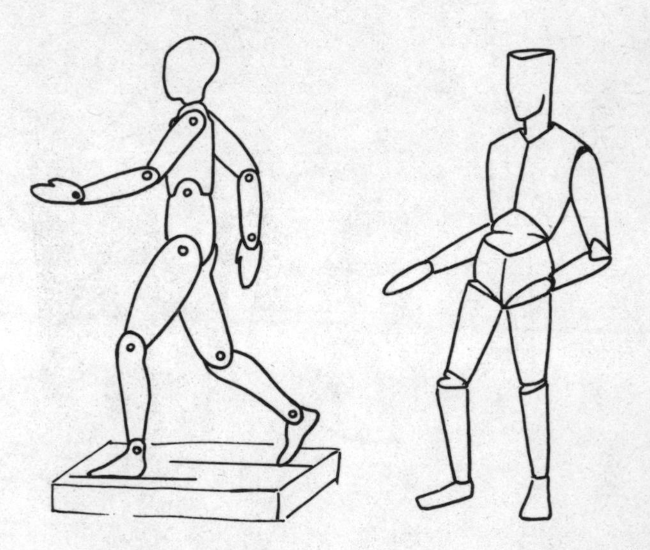

Le plus intéressant et le plus proche de la réalité, c'est le mannequin en bois auquel on peut donner pratiquement toutes les attitudes humaines. Il est fait de bois très dur et les articulations sont également en bois. Son seul défaut est son prix relativement élevé.

Les caractéristiques

A titre d'exemple, voici quelques types accentués. Le sujet frôle la caricature qui fera l'objet d'un autre chapitre.

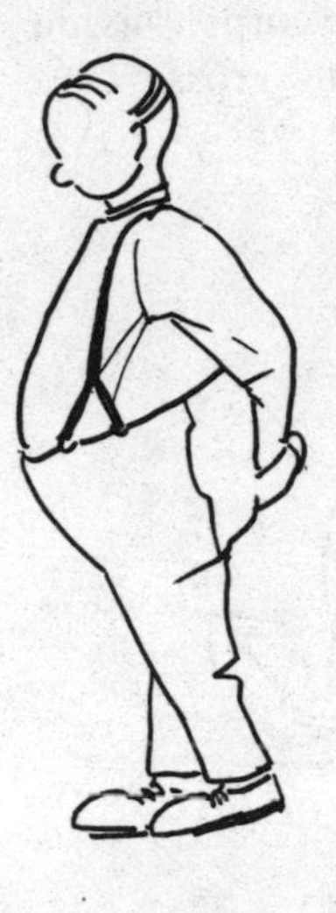

Les enfants

Le principe est le même que pour le dessin d'adultes, mais il faut tenir compte des différences de proportions. Un enfant a la tête qui va cinq ou six fois dans le corps, suivant l'âge. La tête est proportionnellement plus grosse chez l'enfant.

VII

Le portrait

Le portrait existe depuis toujours. C'est grâce à lui que nous connaissons certains grands visages de l'histoire.

Il y a deux sortes de portraits : celui qui recherche la ressemblance, qui veut fixer un visage bien précis ; que ce soit pour sa beauté, son caractère ou sa célébrité. Ce genre a été peu à peu remplacé par la photographie. Mais il y a aussi le visage qu'on choisit parce qu'il convient à une composition ou à une scène de genre. Dans ce cas la ressemblance cède le pas au caractère de l'ensemble.

Observez les dessins qui suivent et la façon de procéder :

1. dessinez largement la forme générale et contrôlez-la avec les grandes lignes directrices ;
2. massez les ombres principales, celles qui donnent du relief ;
3. modelez les demi-teintes et faites éventuellement ressortir les cheveux blancs sur un fond sombre.

Surveillez bien votre modèle, afin de ne pas perdre la ressemblance au cours du travail.

Une tête expressive, des caractères bien marqués sont plus faciles à dessiner qu'un visage joli et régulier.

Observez d'abord bien votre modèle avant de commencer. Cherchez la pose et l'éclairage qui lui conviennent le mieux. Si vous travaillez d'après nature évitez les poses qui font mal au cou ; d'abord parce qu'elles ne sont forcément pas naturelles et ensuite parce que votre modèle aura trop de difficultés à tenir la pose.

Commencez par l'axe légèrement incliné du visage et par la ligne des yeux. Il est important que ces lignes soient placées de façon à ce que le visage soit bien « cadré » dans la feuille. Ensuite les deux lignes qui marquent les côtés de ce visage presque rectangulaire. Puis la ligne des épaules, la masse des cheveux, les sourcils, la moustache, etc...

Tout en restant bien dans vos constructions, précisez le dessin. On commence généralement par les yeux ; le gauche d'abord pour ne pas cacher ou abîmer celui qui est déjà fait, en dessinant l'autre (sauf si vous êtes gaucher). Ombrez les parties plus sombres en respectant bien la forme des ombres. Hachurez aussi le fond pour faire ressortir la tête.

Si vous n'avez pas perdu votre dessin en route il ne reste plus que l'achèvement. Précisez bien les détails, surtout le regard, faites les demi-teintes, esquissez le mouvement des cheveux, le costume, terminez le fond. Votre travail est pratiquement achevé : quelques noirs à reprendre pour donner plus d'accent et quelques coups de gomme aux endroits très éclairés, le front, le nez, le dessous de l'œil et la pommette et quelques blancs dans les cheveux.

Le marché africain

Construisez un personnage selon la technique vue au chapitre consacré aux grandes lignes de construction. Ici : la ligne des épaules, des genoux, la position de la tête et du coude appuyé.

Le fond étant trop vide, c'est dans le souvenir qu'il faut rechercher quelques silhouettes à placer à l'arrière-plan pour créer une ambiance.

Ombrez le personnage principal. Dessinez-le en ne tenant compte que de l'ombre et du clair. Clignez des yeux ! Détaillez quelques accessoires à l'avant-plan.

Achevez le dessin en laissant au trait tout ce qui n'est pas le personnage principal. Esquissez l'imprimé de la robe sans entrer dans les détails.

Folklore et traditions

Construisez sommairement le décor : les horizontales, les verticales et les fuyantes et placez-y les deux personnages (les grandes lignes de construction seulement).

Dans cette construction, recherchez des détails plus précis : la silhouette de la petite fille à l'avant; la forme générale du visage et des mains de la vieille femme.

Faites un dessin précis de la chaise du panier, du seau, des vêtements. Pour les visages : dessinez le contour des ombres qui seront massées ensuite.

Terminez le dessin en donnant le volume et l'expression par la forme et la position des ombres compte tenu de l'éclairage de la salle.

Tissus — Vêtements

Les plis

Le principe à retenir est que le tissu vient de quelque part et continue après le pli. Le plus simple est de dessiner le bord du tissu et d'y raccorder les plis.

Les matières

Il y a, bien sûr, de grandes différences parmi les matières des tissus. Un velours ne se présente pas comme une mousseline ni comme un satin. Les ombres sont plus douces sur un velours ou une mousseline ; les plis plus cassants sur un satin cuir ou un tissu raide.

Les imprimés

Lorsqu'il s'agit d'un imprimé — écossais ou tout autre tissu à motif — il faut simplifier, cligner des yeux pour ne voir que l'essentiel. Trop de détail détruisent l'ensemble et font d'un dessin un vrai fouillis.

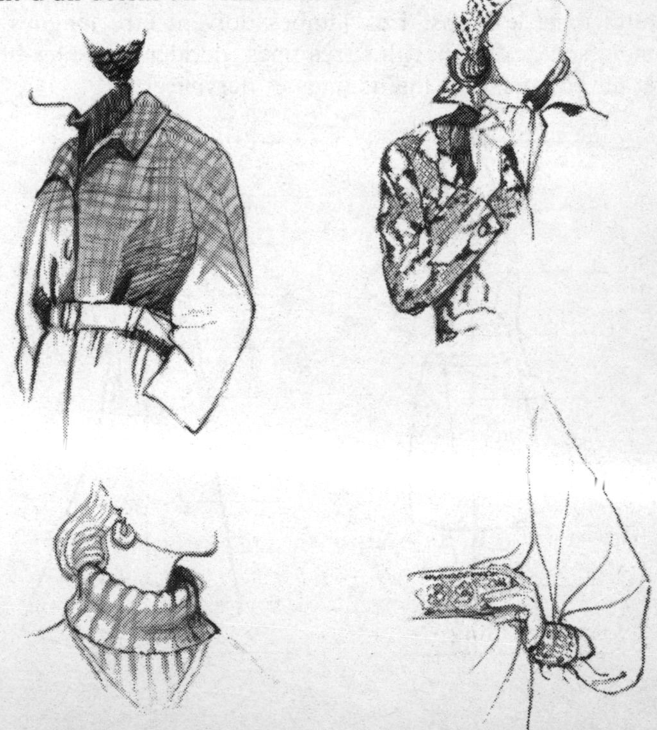

Dessin de mode

Principes de base

Pour faire d'un croquis de personnage un dessin de mode, il faut l'allonger, l'étirer, l'amincir et même exagérer. Si le dessin de mode change suivant les époques, les principes de base restent les mêmes.

Pour une robe du jour ou un ensemble sport, la silhouette passe de sept têtes et demie à huit têtes au moins, le supplément se plaçant dans les jambes. Pour une robe du soir, certains dessinateurs arrivent jusqu'à dix ou onze têtes dans le corps. Les jambes doivent être longues et minces avec des chevilles très fines, de même que les bras et les poignets ; les mains fines et nerveuses.

Les visages aussi sont stylisés. Leur interprétation suit la mode : celle des coiffeurs et celle du maquillage.

La petite rétrospective qui suit vous montrera, ou vous rappellera, quelques silhouettes de ces trente dernières années. Pour les dix dernières, il devient plus difficile de choisir. Les grands couturiers qui imposaient une ligne ou une longueur n'existent plus. Aujourd'hui chacune peut trouver dans la mode le genre qui convient à sa silhouette.

Quelques détails plus marquants peut-être comme la manche kimono ou chauve-souris, le flou froncé aux épaules, le pantalon étroit sous la robe tunique et les épaules soutenues et élargies qui nous reviennent. Car la mode revient souvent à d'anciennes lignes agrémentées de détails nouveaux et en feuilletant les magazines d'aujourd'hui on croit parfois revoir une vieille photo de famille.

Fath
1950
1951
1952
Balmain
1953
Dior
1955
Ligne A
Dior
1957
Flou Look
1958
1959

1960
1961
1962
1963
1964
1965
1967
1969
1970

Et depuis...

Les détails (comment les présenter)

Le but de ce chapitre n'étant pas de vous présenter la dernière mode, les détails choisis le sont au hasard dans vingt ans de mode, partant du principe qu'une chose jolie peut le rester même si la mode change.

Comme les silhouettes des pages suivantes, ils sont interprétés à la manière de quelques grands dessinateurs de mode.

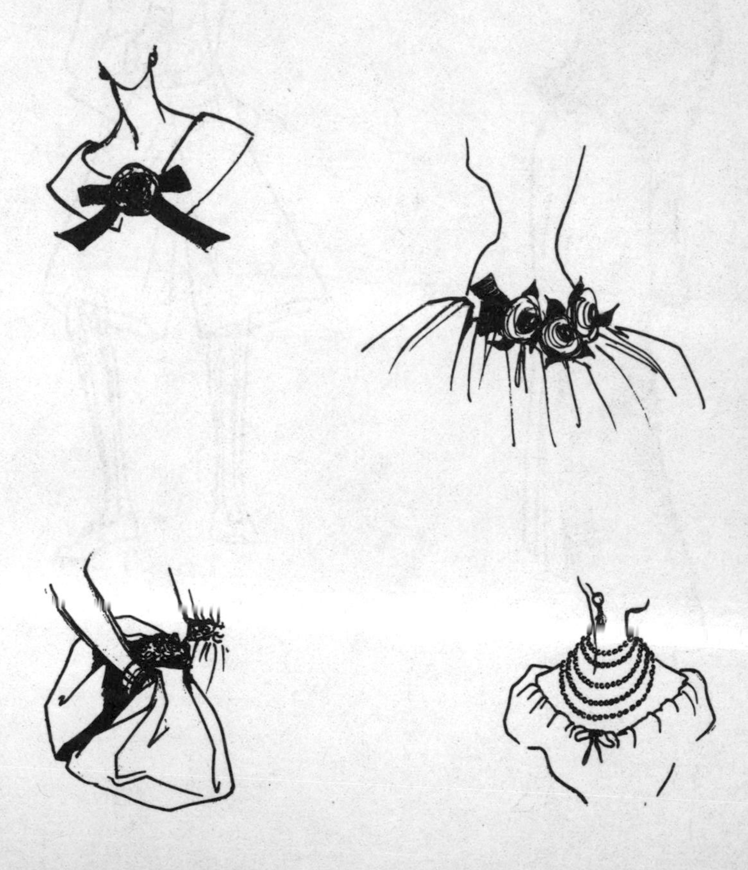

Ces deux modèles sont un exemple de l'évolution du des-sin de mode. Environ vingt ans les séparent.

VIII

Les animaux

Après les personnages, les animaux. Si les principes de construction restent les mêmes, certaines difficultés viennent parfois s'y ajouter : ce sont les plumes et les poils. L'anatomie de l'animal est certes moins connue que celle des humains, ne serait-ce que parce qu'elle est moins visible. Il n'est pas toujours facile de deviner la structure de l'animal sous une épaisse fourrure. Si le cheval nous montre assez clairement ses articulations et sa musculature, d'autres animaux ressemblent plus à une masse poilue. L'oiseau aussi se cache ; surtout les espèces à plumage spectaculaire. Toutefois ses formes sont plus simples et le point de départ est toujours l'œuf comme on le verra en détail plus loin.

Aussi, pour travailler progressivement, nous commencerons par les moins « cachés » : poissons, crustacés, coquillages et reptiles. Pour les poissons et les reptiles, la base de construction, la ligne directrice, et ce qu'on appellerait la colonne vertébrale chez l'humain : c'est-à-dire l'arête centrale.

Les poissons

Pour dessiner un poisson, il faut procéder comme pour dessiner n'importe quel objet. Il s'agit d'abord de le construire, de rechercher sa forme générale et d'employer comme axe l'épine dorsale. Les détails viendront s'organiser spontanément autour d'une base de dessin bien observée. Les couleurs se représentent en nuances allant du noir au blanc. Les ombres ne sont pas plus difficiles à dessiner que celles d'une cruche de grès, à condition d'en observer la forme exacte.

Les crustacés

Ils se construisent d'une façon très géométrique. Simplifiés à l'extrême ou détaillés en dessin documentaire, ils n'ont pas besoin de stylisation pour être décoratifs.

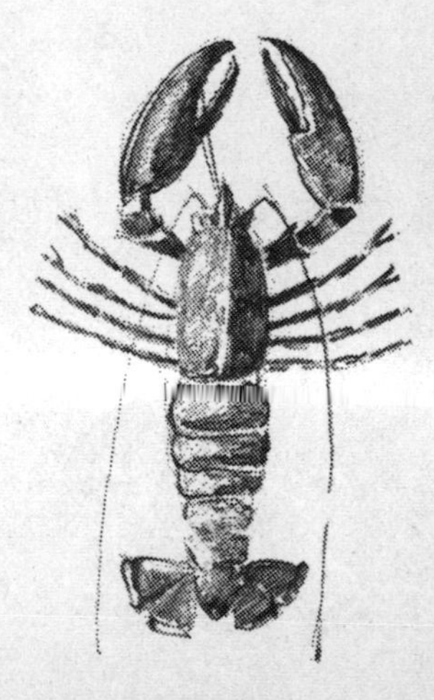

Les coquillages

Plus encore que les crustacés, les coquillages se passent de stylisation. Ils sont en eux-mêmes de très beaux éléments décoratifs. De formes innombrables, il est impossible de les représenter tous. Un bon dictionnaire illustré vous fournira une excellente documentation...

Deux éléments doivent être réunis pour réussir un coquillage : le dessin et le volume. Le dessin, parce que beaucoup de coquillages présentent des détails très fins; quant au volume, il est donné par le modelé des ombres.

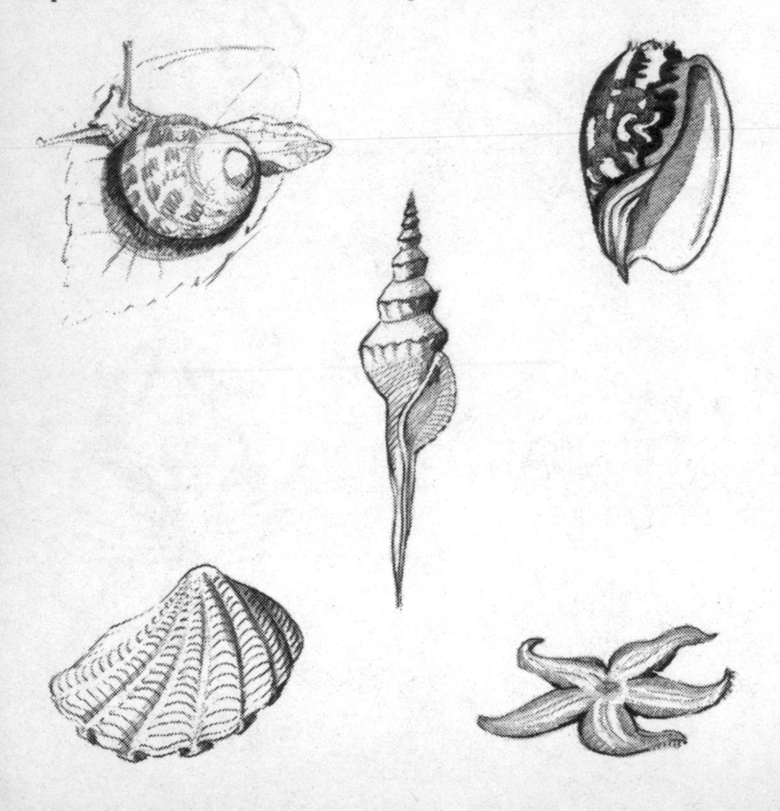

Les reptiles

Toujours dans la série des animaux sans poils ni plumes, les reptiles sont relativement faciles à représenter.

Ici, encore, l'épine dorsale sert de construction principale (très visible pour le lézard, par exemple). Même le caméléon et la grenouille sont encore assez simples ; les formes sont bien visibles grâce à une peau plus ou moins lisse. Quant à la tortue, l'essentiel est de dessiner sa carapace ; les pattes et la tête sont aussi simples que des petits boudins en plasticine.

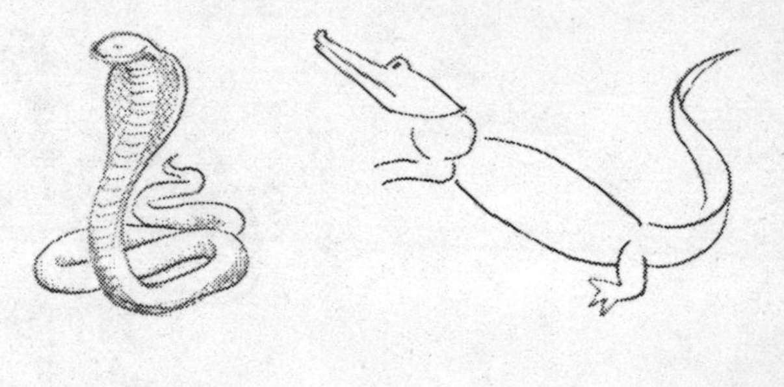

Les mammifères

En s'attaquant aux mammifères, on s'attaque aux bêtes à fourrure et il est beaucoup plus difficile de voir «ce qu'il y a en dessous».

Comme il est impossible d'étudier l'anatomie de tous les animaux, seuls les principaux seront détaillés. Partant de ceux-ci, on peut imaginer la structure des autres. Toutes les bêtes à quatre pattes sont plus ou moins bâties sur le même squelette. Elles sont plus lourdes ou plus élégantes; elles ont des pattes plus courtes ou plus longues. Un cheval

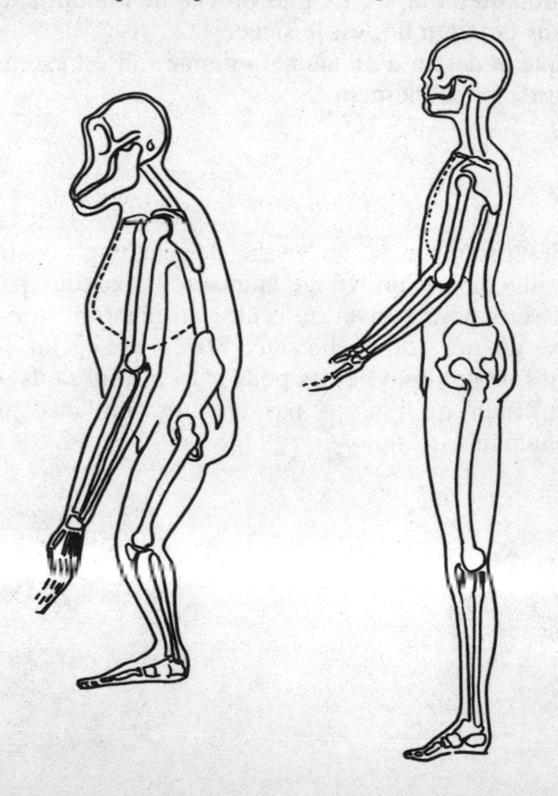

a le même squelette qu'un zèbre et est très proche d'un cerf ; un écureuil a, dans les grandes lignes, la même construction qu'un lapin. Le plus proche de l'homme, que nous avons déjà étudié, est le singe.

Pour que le dessin d'un animal « tienne », il est essentiel de le construire solidement.

Le singe

A part les proportions, un visage de singe se construit exactement comme un visage humain : l'axe qui passe entre les yeux pour arriver au centre du menton, la ligne des yeux, du nez, de la bouche. Si les yeux sont plus rapprochés, le nez épaté et les poils plus encombrants, qui oserait affirmer qu'il n'y a pas une ressemblance avec certains humains…

Observez bien le singe ci-dessous : la ligne des épaules, la colonne vertébrale, la position des membres; remplacez les long poils par un costume, donnez-lui un fauteuil et un verre de bière, et vous aurez un honnête citoyen installé à la terrasse d'un café!

Le cheval

La plus noble conquête de l'homme n'est certes pas l'animal le plus simple à dessiner, malgré son poil bien lisse qui ne cache pas sa forme exacte.

Le schéma du squelette ci-dessous permet de comprendre le mécanisme du mouvement d'un cheval de profil. Partant de ce schéma, on obtient, suivant son modèle, un cheval de course fin et nerveux, un paisible cheval brabançon, un cheval de fiacre, un âne, etc.

La vache

Son schéma ressemble assez à celui du cheval. Ce sont d'ailleurs ces schémas qui vont servir pour la plupart des animaux à quatre pattes. Dans bien des cas, seul le revêtement extérieur change ; le squelette d'un lion n'est pas tellement différent de celui d'un zèbre ou d'un chevreuil. Même le dessin de la girafe part de la même base que celui du bison ; la première l'allonge et l'étire, le second la ramasse et semble ainsi prêt à foncer.

Le lapin

Il se construit comme un écureuil sans queue, mais avec des oreilles.

Il fait partie de ces animaux familiers et ses attitudes sont caractéristiques et assez simples à dessiner, malgré qu'il se cache sous une épaisse fourrure.

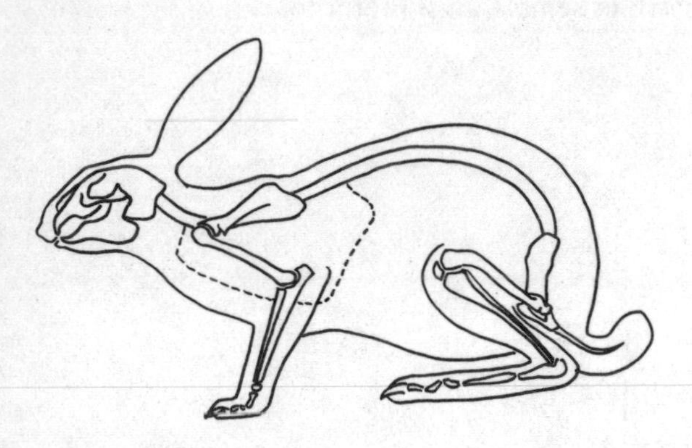

Le chien

Dans ses grandes lignes, la construction du chien ressemble à celle du cheval en plus petit. La longueur des poils, les oreilles, la queue, la taille différencient les races de chiens.

Dans un dessin ombré au crayon, la meilleure technique consiste à faire des hachures dans le sens des poils, pour les chiens à poils longs comme le scottish et l'avant du caniche. Pour les chiens à poils ras, la musculature est plus visible et permet un modelé précis.

Grand Spitz

Caniche

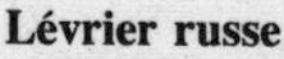

Lévrier russe

Fox

Scottish

Danois

Caniche

Bouledogue anglais

Le chat

En croquis schématique, il faut tenir compte de la souplesse d'un chat. Les lignes sont courbes. En dessin ombré, la technique est la même que pour les chiens.

Le chat est un animal passionnant à dessiner pour l'extrême diversité de ses expressions et de ses attitudes.

Tantôt paisible et ronronnant, tantôt très digne, il peut aussi prendre des allures de fauve en chasse et devient alors en quelque sorte, un tigre en miniature.

Le lion

A tout seigneur tout honneur ! En schéma ou en dessin, sa crinière lui donne cet air altier, mais sa construction reste celle de n'importe quel quadrupède.

Sa compagne, un peu moins grande, lui ressemble fort. L'absence de crinière fait paraître sa tête plus petite.

Cerf
Bouquetin
Girafe

Bison
Dromadaire
Ours blanc

Hyène tachetée

Zèbre

Les oiseaux

L'oiseau sort de l'œuf et ne parvient pas à le faire oublier ! Ceci simplifie fort sa construction. D'abord l'œuf plus ou moins incliné suivant la position de l'oiseau ; puis, d'un côté la tête et de l'autre la queue. A cette base s'ajoutent les détails particuliers au genre d'oiseau choisi.

Cette règle est valable aussi bien pour dessiner une grue couronnée et un flamant (ci-dessous) que pour les poussins, les canards, etc.

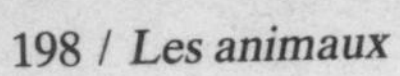

En dehors de la silhouette générale, certains détails différencient les oiseaux : ce sont les becs et les pattes.

Croquis rapide

Ces schémas simplifiés sont ceux que tout le monde apprend en les copiant. Ils représentent un dessin réduit au minimum de traits permettant de reconnaître un animal. Ils ressemblent à ces petits jeux des chiffres transformés en animaux : un 2 est un cygne, un 6 est un lapin etc. Le chien, le chevreuil, le cheval, sont des haricots montés sur quatre pattes ; le petit singe est un 6 à l'envers...

Le mouvement simplifié

Plus difficile que les précédents, le dessin d'un animal en mouvement demande une observation très précise du modèle ou du document. Il s'agit de trouver « la ligne » qui permettra d'identifier la bête et le mouvement.

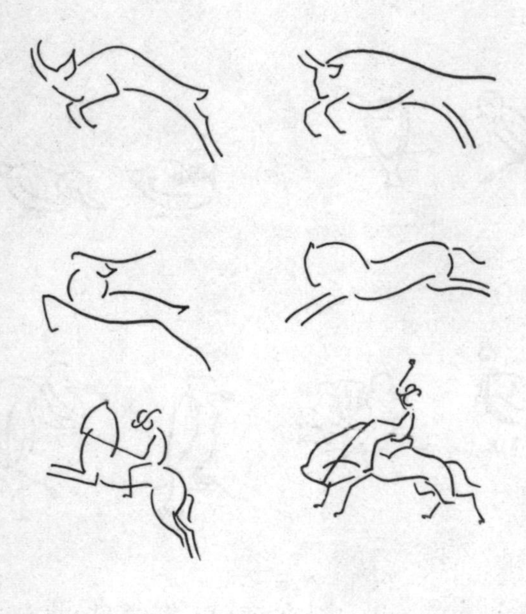

IX

La composition

Il existe des règles de composition bien établies. Qui les a inventées ? Qui les a utilisées ? La réponse à ces questions n'est pas aussi évidente.

On situe bien souvent les premières compositions « voulues » chez les Italiens. Pourtant, comment croire que les Egyptiens n'avaient pas, eux aussi, leurs règles d'équilibre ? Les Grecs, pour leur part, qui ont poussé le raffinement jusqu'à corriger les illusions d'optique en faisant les colonnes qui se découpent sur le ciel un peu plus épaisses que les autres afin qu'elles paraissent semblables, parlaient de *la division en extrême et moyenne raison.*

Plus tard, on a parlé de *divine proportion*, de *divine section.* Au seizième siècle, c'était la *proportion continuelle*, qui devint la *division continue* au dix-septième siècle et enfin *section d'or* en 1830.

Quoi qu'il en soit, ces règles existent et elles ont été employées. Chez certains artistes, les preuves en sont flagrantes ; chez d'autres, le sens de la composition semble avoir été plus instinctif, et si l'on retrouve dans leurs œuvres ces fameuses lignes, c'est dans doute qu'ils avaient le sens inné de l'équilibre.

Mais quelles sont ces lignes, ces proportions, cette fameuse section d'or ? En voici l'essentiel.

La section d'or

Si elle a porté différents noms, elle a, depuis les Grecs, toujours la même mesure : **0,618 pour 1.** Soit une droite de 1618 : la section d'or est à 1000. Ces chiffres qui semblent assez compliqués, correspondent à peu près à **5/8.**

Pour les gens précis, la section d'or se construit au compas d'une manière fort simple. Soit la droite AB. On construit un triangle, l'angle droit étant en B et le côté BC égal à la moitié de AB. De C on trace un arc de cercle ayant pour rayon CB et puis coupe AC. On trace un nouvel arc de cercle, à partir de A, ayant pour rayon, le restant de AC. Cet arc coupe AB en O, qui est la section d'or de la droite AB. Le rectangle d'or (de proportion idéale) aura donc 5 × 8 ou plus précisément 1000 × 618.

De toute façon, un rectangle harmonieux se situe entre ces deux mesures extrêmes : le carré est celui dans lequel on peut inscrire un triangle équilatéral ; et le plus long est égal à deux carrés (évitez surtout le faux carré).

Une fois le cadre établi, comment disposer l'ensemble ? comment répartir cette surface ?

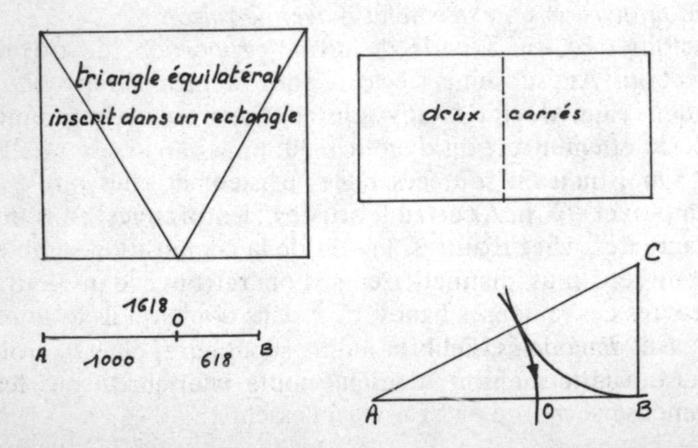

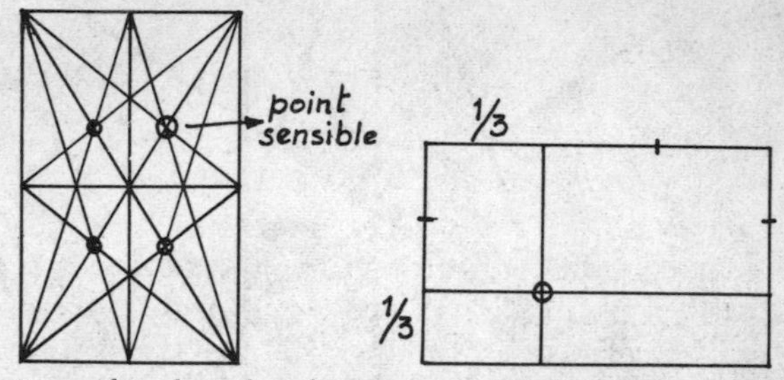

Partons du plus simple (ce sont les lignes généralement employées par les photographes) : le *point sensible* se trouve à l'intersection de deux droites tracées au tiers des côtés. Il peut donc avoir quatre positions différentes mais n'a jamais la même importance aux quatre.

Si vous voulez du travail plus raffiné, voici les droites que vous devez tracer : A représente une des quatre positions du point sensible. B représente la section d'Or par rapport à la largeur et à la hauteur.

Retrouvons ensemble cette application dans quelques œuvres connues, et si le cœur vous en dit, armez-vous d'une latte, d'un crayon et d'une feuille de papier calque, et découvrez vous-même dans un livre d'art les secrets des grands maîtres.

L'Indifférent de Watteau

Cette œuvre est remarquable par la précision avec laquelle les diagonales et les médianes sont inscrites.

Les médianes. La médiane verticale est marquée par l'axe du personnage du cou au pied arrière sur lequel il repose. La médiane horizontale marque la largeur des hanches.

Les diagonales. Dans la moitié supérieure, elles se croisent sous le menton ; dans la moitié inférieure, sous les genoux.

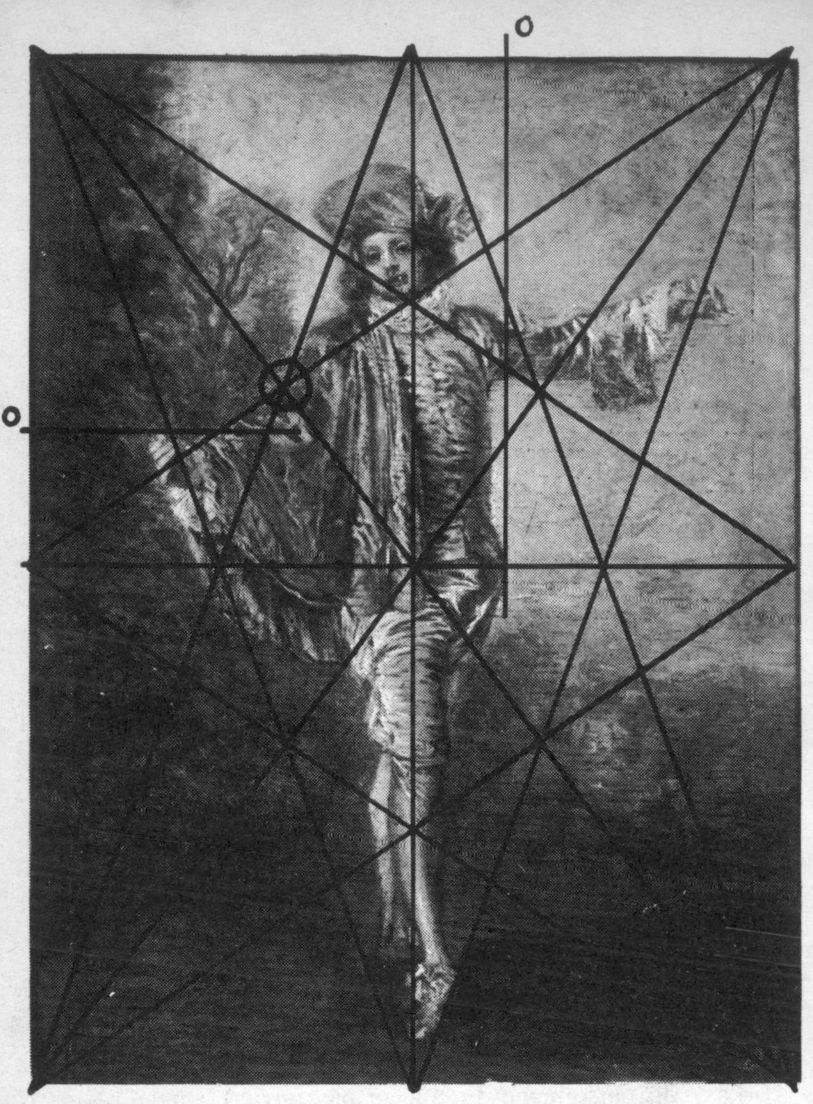

Le personnage s'inscrit dans le triangle formé par les diagonales des moitiés gauche et droite. Les pieds sont dans la pointe et les mains exactement sur les diagonales. La tête aussi s'appuie sur un triangle.

Le point sensible principal est le pli du coude sous la cape.

Les sections d'Or. La verticale limite le corps du personnage : l'horizontale est marquée par la main qui soutient la cape.

La Marseillaise de Delacroix

Quoique chef de file des romantiques, Delacroix n'en a pas moins respecté les règles de composition classiques.

Les médianes. La verticale est très marquée : la main, la robe, le bras de l'homme qui se redresse, la chaussette bleue et la guêtre blanche. L'horizontale est moins nette.

Les diagonales. Certaines sont très marquées : celle qui part de la main tenant le drapeau suit le bras du personnage central pour arriver au visage de l'homme couché à

l'avant-plan. Celle qui part du coin en haut à droite suit le drapé de la robe et le corps de l'homme qui se redresse. Le corps à l'avant-plan gauche suit la diagonale de la moitié inférieure.

Les triangles aussi sont très importants : observez l'emplacement des têtes des personnages à gauche et à droite du triangle central pointe vers le bas. Un autre triangle pointe en haut part de la main qui tient le drapeau pour aboutir aux deux corps de l'avant-plan.

Point sensible : le creux du bras tenant la baïonnette.

Section d'or. Elle est marquée de haut en bas par l'aplomb du personnage central (axe passant par le cou et le centre du pied sur lequel il s'avance).

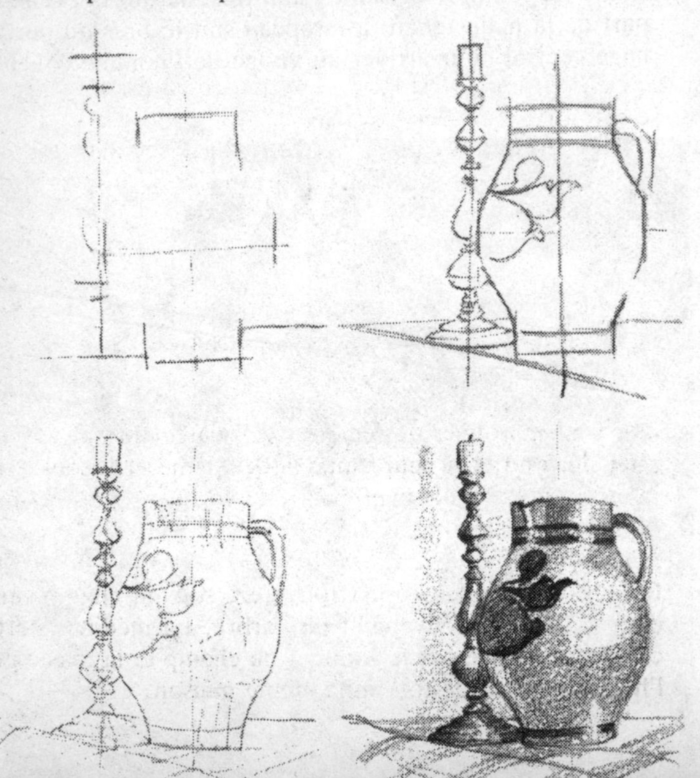

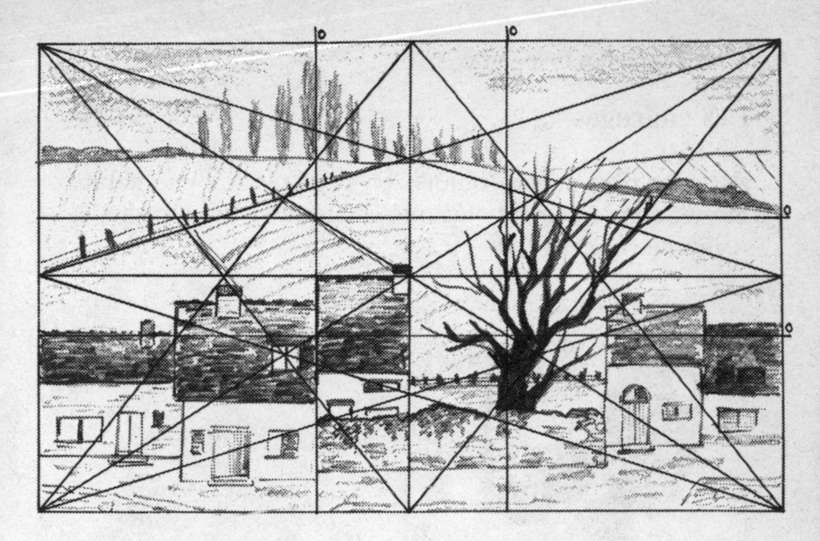

Découvrir le secret des grands et admirer leur science des proportions, c'est très bien. Encore faudrait-il pouvoir se servir de leurs découvertes.

Il est inutile d'employer, toutes les diagonales et les quatres sections d'or. Elles ne doivent jamais vous obséder.

Voici deux dessins réalisés en tenant compte de ces règles.

Dans le premier dessin, il s'agit de deux objets à axe vertical. Logiquement ces deux axes doivent se placer au 1/3, ou mieux encore, au 5/8 de gauche et de droite.

Le deuxième dessin est plus compliqué. Deux sections d'or sont marquées nettement : verticalement par le peuplier du fond et le mur entre la deuxième et la troisième maison ; horizontalement par les toits des deux maisons extérieures. Le point sensible principal est marqué par la fenêtre de la deuxième maison. Si vous suivez les différentes diagonales, vous trouverez, soit un champ, une clôture, soit le mouvement de l'arbre. La médiane verticale est marquée par le sommet du champ et la maison et l'horizontale par le toit de la même maison.

Les cadrages

Avec les cinq mêmes objets, on peut réaliser une nature morte, non seulement élégante, mais aussi qui respecte les règles de composition.

X

D'autres techniques de dessin

On peut faire appel à différentes techniques pour dessiner et chacune d'elles rend une impression différente. Nous avons vu au chapitre «lumières et ombres» comment employer ces matériaux. Avec un peu de tâtonnements, vous vous rendrez vite compte des possibilités que chacun offre.

Les quelques pages qui suivent illustrent cinq manières d'aborder un même sujet :

○ *le crayon :* le dessin se rapproche de la photographie. Les ombres, et intensités de lumière, la matière, les détails sont rendus par des dégradés de gris ;

○ *l'encre de Chine :* ici le contraste est violent, le dessin est noir et blanc, sans dégradés ;

○ *les trames :* l'œuvre est plus abstraite. On trouve toutes sortes de trames : des pointillés, des lignes, des cercles... On peut en jouer pour rendre les formes, les ombres, la perspective ;

○ *le lavis d'encre de Chine :* ce dessin a été réalisé sur papier toile. Le lavis a été passé au pastel blanc pour faire ressortir la trame de la toile ;

○ *le pointillé :* les parties traitées en pointillés se dégagent des autres éléments dessinés au trait.

XI

La décoration

Quoi de plus amusant que de décorer vous-même votre intérieur ? Beaucoup d'objets se prêtent à recevoir cette touche personnelle que vous voulez leur imposer.

Les idées ne manquent pas et il suffit d'être un tant soit peu bricoleur pour truffer votre maison de ces petits détails qui feront que celle-ci vous ressemble.

Les pages qui suivent vous donnent quelques exemples. Tous ces modèles sont faciles à exécuter et n'exigent pas un matériel coûteux :

○ *des panneaux décoratifs* sur tissus, avec des motifs qui rappellent vos coussins ; sur papier (on trouve ces grandes feuilles chez les photographes) pour décorer une bibliothèque ;

○ *des stores en papier* très amusants à réaliser. Ils feront une touche d'originalité dans votre cuisine ou votre salle de bains ;

○ *des meubles :* vous pouvez dessiner sur le bois même ou bien le laquer au préalable et dessiner ensuite. Ici aussi laissez faire votre imagination pour décorer une chambre d'enfants, une cuisine, un salon…

○ *d'autres idées :* un œuf de Pâques, un étui à lunettes, la couverture de votre cahier de recettes, des ronds de serviettes.

Mais tout d'abord, voici un miroir que vous pouvez encadrer vous-même. Le modèle que nous vous proposons a été réalisé sur du papier collé sur du contreplaqué. Celui-ci a été découpé suivant les contours du dessin puis fixé au miroir au moyen de crochets de métal.

1
2
3
4

RECETTES

XII

Dessin technique et croquis coté

Il n'est pas question de faire ici un cours de dessin technique, il existe pour cela des manuels spécialisés.

Mais dans ce domaine aussi un petit croquis vaut mieux qu'un long discours. A l'heure du brico et du faites-tout-vous-même quelques notions, pour y voir plus clair ou pour vous faire comprendre, peuvent être très utiles.

D'abord le croquis coté qui vous permettra de trouver sans erreurs les mesures exactes des éléments que vous comptez utiliser. Voulez-vous cacher un tuyau, faire une mangeoire pour les oiseaux ou un meuble de rangement; tout cela ne se découpe pas au hazard. Faites un croquis en plan et en élévation; si vous devez faire découper des planches par exemple ce croquis sera très apprécié.

Si cette image vous paraît trop théorique, si vous ne «voyez» pas bien le volume de l'objet fini, faites un dessin en perspective cavalière. Ce n'est pas bien difficile et c'est beaucoup plus clair.

Ces quelques notions vous seront très utiles aussi en décoration intérieure. Il y a moyen de représenter certains coins de votre intérieur sans pour cela connaître la perspective scientifique.

Le croquis coté

C'est la représentation **en plan et en élévation** d'un objet que l'on veut faire réaliser. Employé surtout en dessin industriel pour les pièces de machines, ce croquis exige des normes de représentation généralisées.

Sans vouloir aller aussi loin, il peut être utile de faire un croquis coté d'une étagère à faire exécuter par un menuisier, par exemple.

Normes de représentation

- Dessin définitif : traits pleins, forts : 0,4 à 0,6 mm.
- Pointillé (arêtes cachées) : épaisseur : 0,3 mm; longueur : 2 à 3 mm.
- Trait d'axe : mixte. Longueur : 10 à 15 mm. Dépasse le dessin.
- Traits de cotes : traits pleins fins.
- Traits de rappel : traits pleins fins dépassant la flèche.
- Centre d'une circonférence : marqué par l'intersection de deux traits.
- Flèches élancées : 2 à 3 mm; à l'extérieur pour les cotes inférieures à 6 mm.
- Cotes partielles : sur une même droite.
- Cotes totales : près des cotes partielles à distance égale : 6 à 10 mm.
- Chiffres : écartés du trait de cote de 0,5 à 1 mm : à

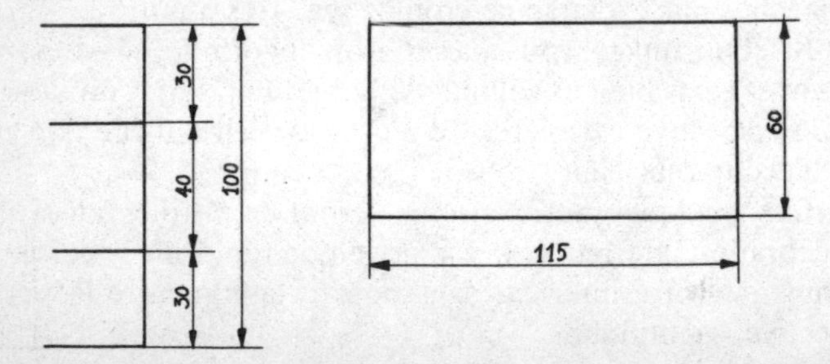

droite de l'axe, au milieu de la ligne de cote, à gauche ou au-dessus de la ligne de cote, suivant sa position.

- Coter le rayon d'un arc et le diamètre d'un cercle. Si plusieurs diamètres sont égaux : n'en coter qu'un seul.
- Vérifier si les cotes totales correspondent à la somme des cotes partielles.

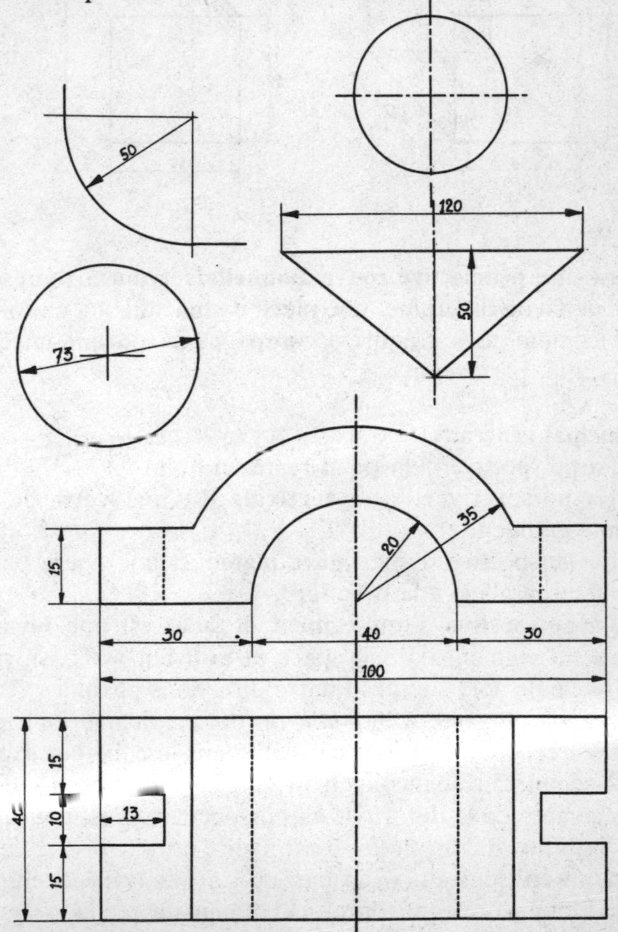

La perspective cavalière

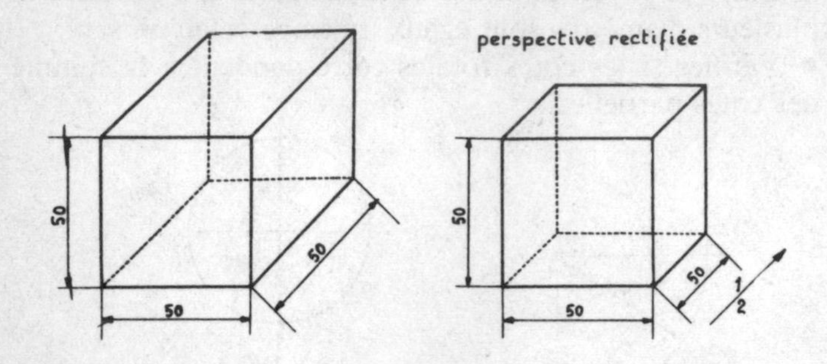

C'est une **perspective conventionnelle** servant à représenter, de façon théorique, une pièce de machine ou un solide quelconque. Ces croquis accompagnent souvent un croquis coté, par exemple.

Principes généraux

- La perspective d'un **point** reste un point
- La perspective d'une **verticale** est une verticale de même grandeur.
- La perspective d'une **figure plane** est une figure plane égale et parallèle à la première.
- La perspective d'un **segment de bout** est une fuyante égale au segment dans l'espace et pouvant avoir, suivant un angle de 45°, une des quatre directions possibles. Toutefois, une fuyante à laquelle on donnerait une longueur égale à celle d'une des verticales (dans le cube par exemple) semblerait beaucoup trop longue puisqu'on n'y tient pas compte de la déformation perspective. C'est pourquoi on indique un module, c'est-à-dire qu'on divise cette fuyante en deux ou trois parties suivant la nécessité, la cote indiquée restant toutefois la longueur réelle.

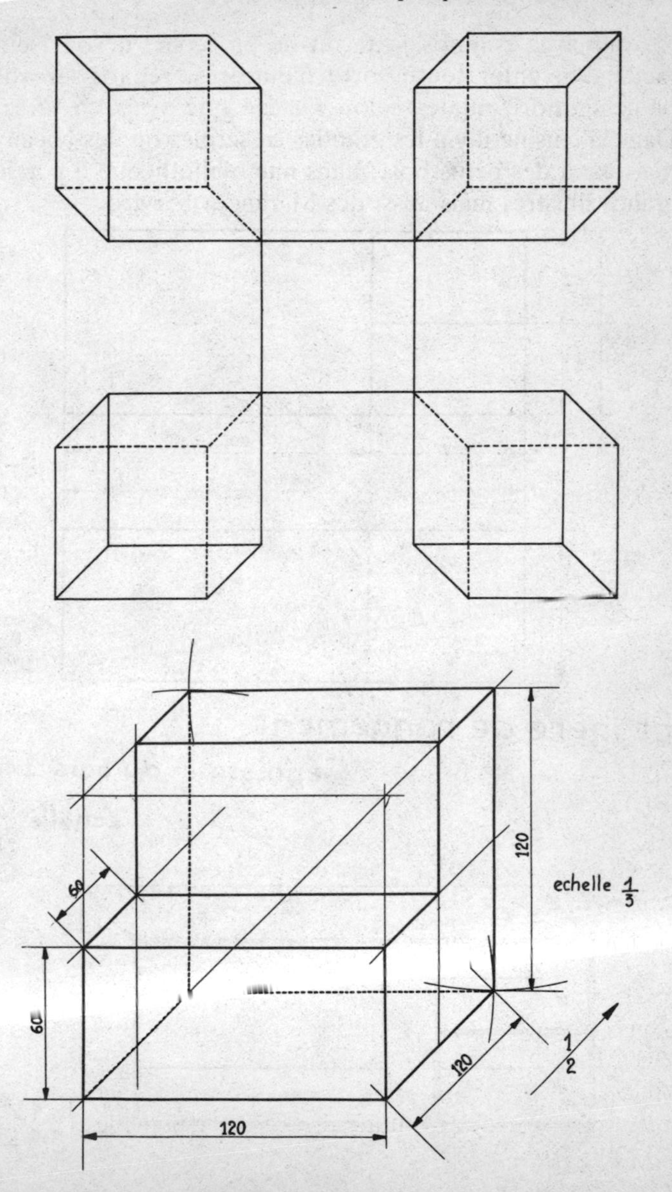
120
60
60
120
120
echelle $\frac{1}{3}$
$\frac{1}{2}$

Si vous avez compris la façon de procéder, il vous sera facile d'inventer toute sorte d'étagères, répartissez vos planches horizontales selon l'usage que vous en ferez. Dans la cuisine il y a les grandes casseroles ou des bocaux mais aussi des petits bols ; dans une bibliothèque il y a de grands illustrés mais aussi des Marabout Service.

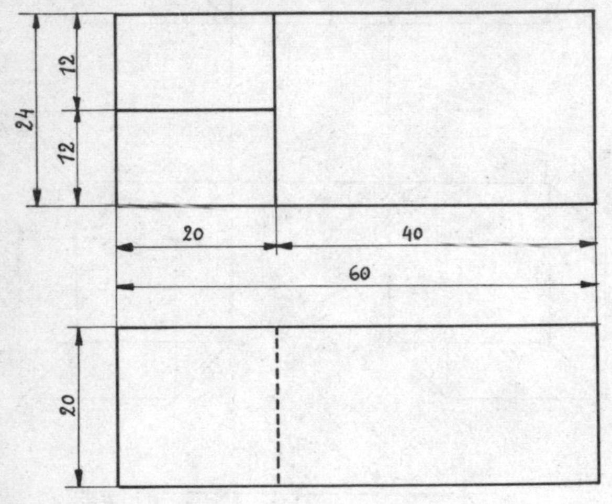

Etagère de rangement

épaisseur du bois 1cm

échelle $\frac{1}{10}$

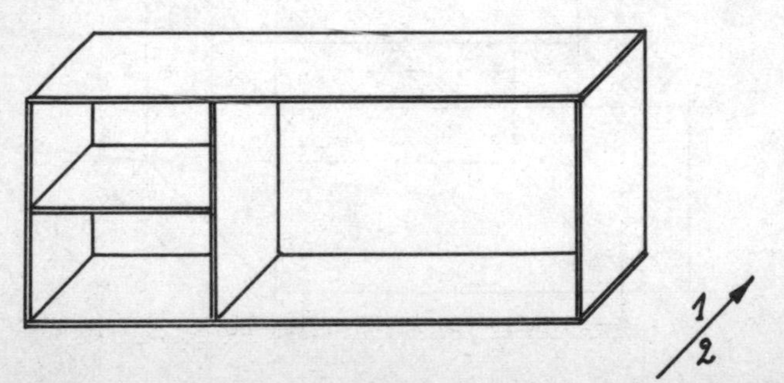

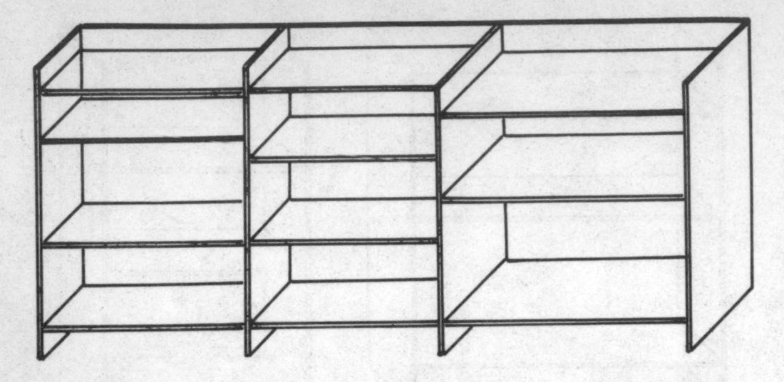

Dans une chambre d'enfants, pour séparer deux lits, faites un ensemble de casiers allant jusqu'au plafond. Certains seront ouverts de part en part, d'autres seront fermés d'un côté par un panneau de couleur par exemple.

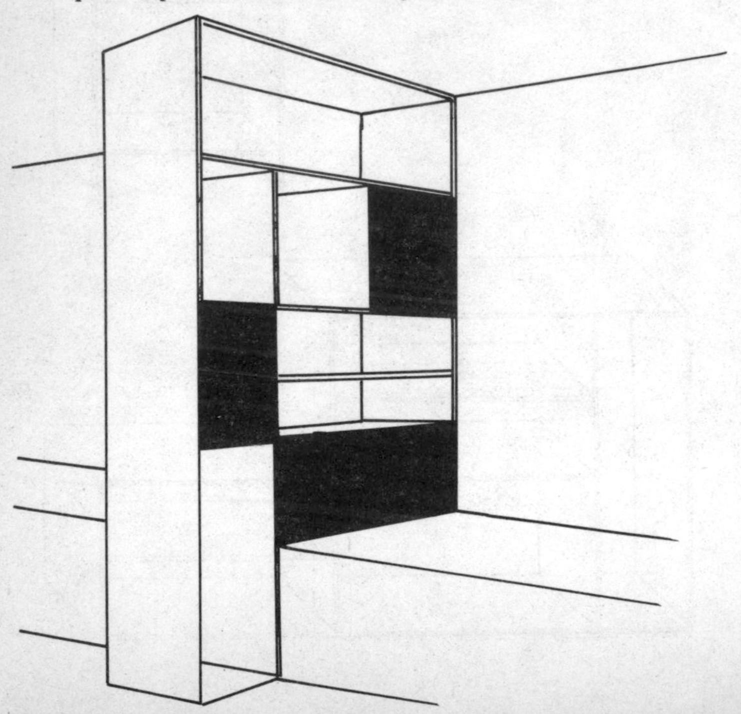

Les raccordements

Si vous voulez faire des découpes, comment tracer vos courbes pour ne pas avoir d'angles. Il faut simplement retenir et appliquer deux règles très simples :

— pour raccorder un arc à une droite il faut que le centre de l'arc soit sur une perpendiculaire à l'extrémité de la droite ;

— pour raccorder deux arcs de cercle il faut que les deux centres et le point de raccordement soient sur une même droite.

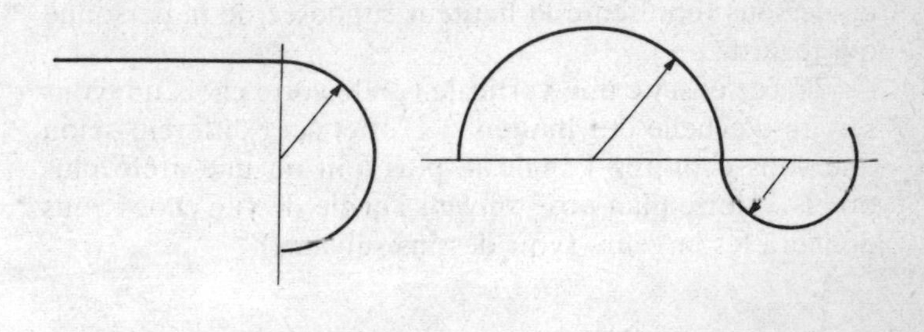

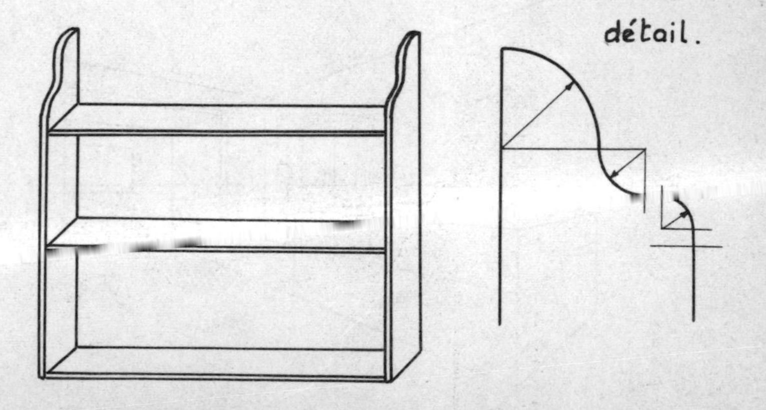

Décoration intérieure

La représentation perspective étant celle qui est la plus fidèle, essayons de l'appliquer à la décoration intérieure. Si vous voulez représenter votre intérieur utilisez vos yeux de préférence à toute autre méthode ; mais si vous voulez visualiser votre futur intérieur en partant d'un plan, il existe une méthode de raisonnement qui se rapproche un peu de la perspective scientifique. Elle ne permet cependant pas une vue très large, les côtés sont fort déformés.

— Tracez d'abord la ligne d'horizon (1). La partie située en dessous représente la hauteur supposée de la personne qui regarde.

— Tracez ensuite une verticale (2) de votre choix qui vous servira d'échelle des hauteurs. L'effet sera différent selon que vous choisirez l'angle le plus loin ou une arête plus proche. Votre plan posé suivant l'angle de vue choisi vous donnera les largeurs (voir dessins suivants).

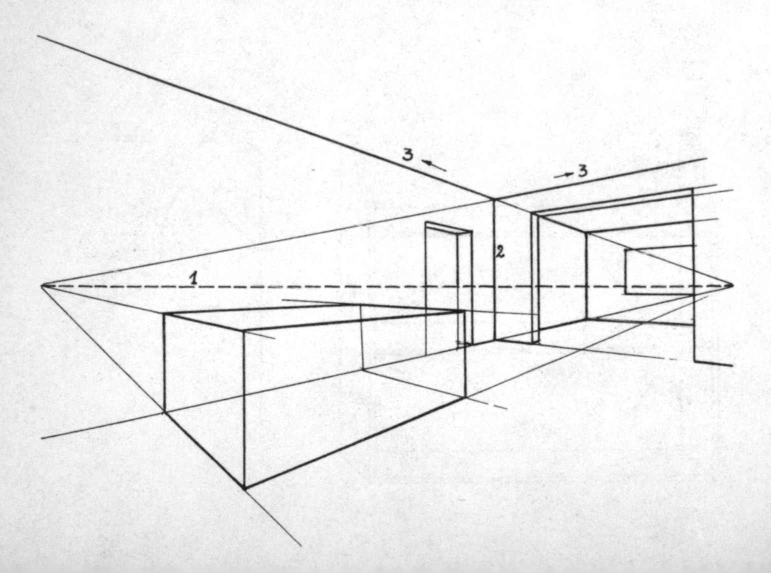

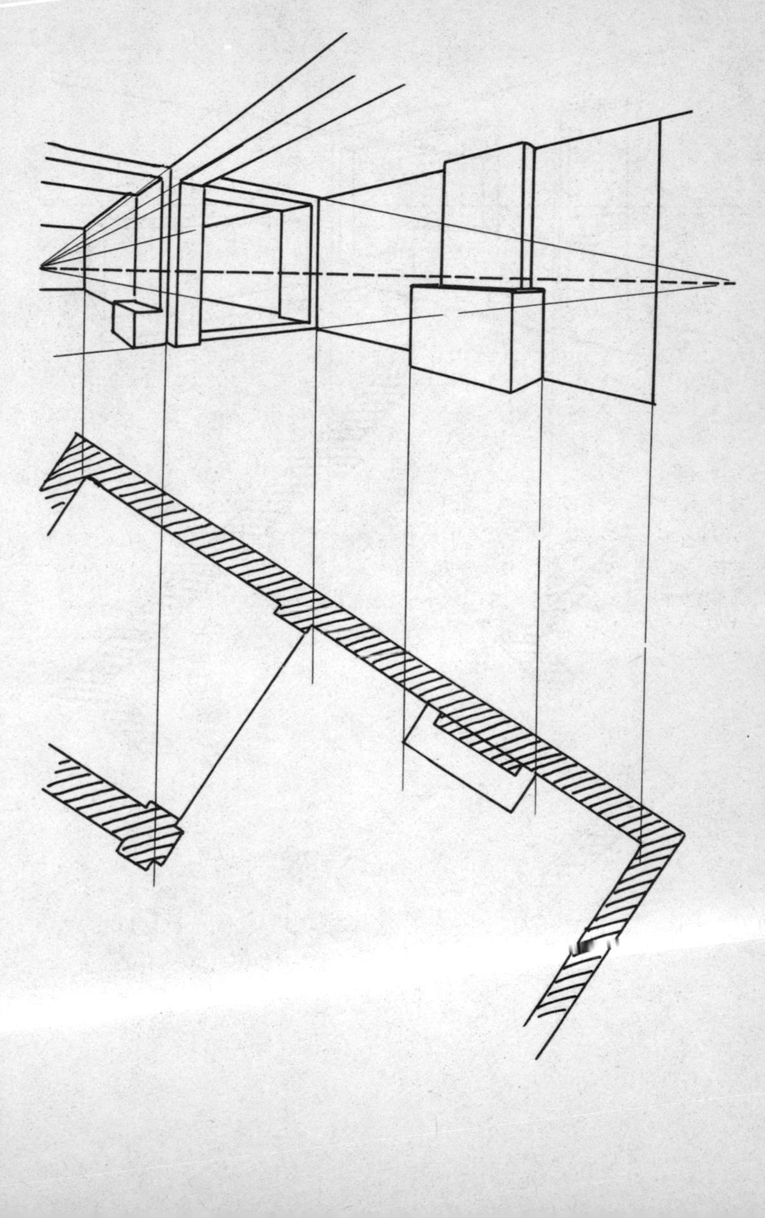

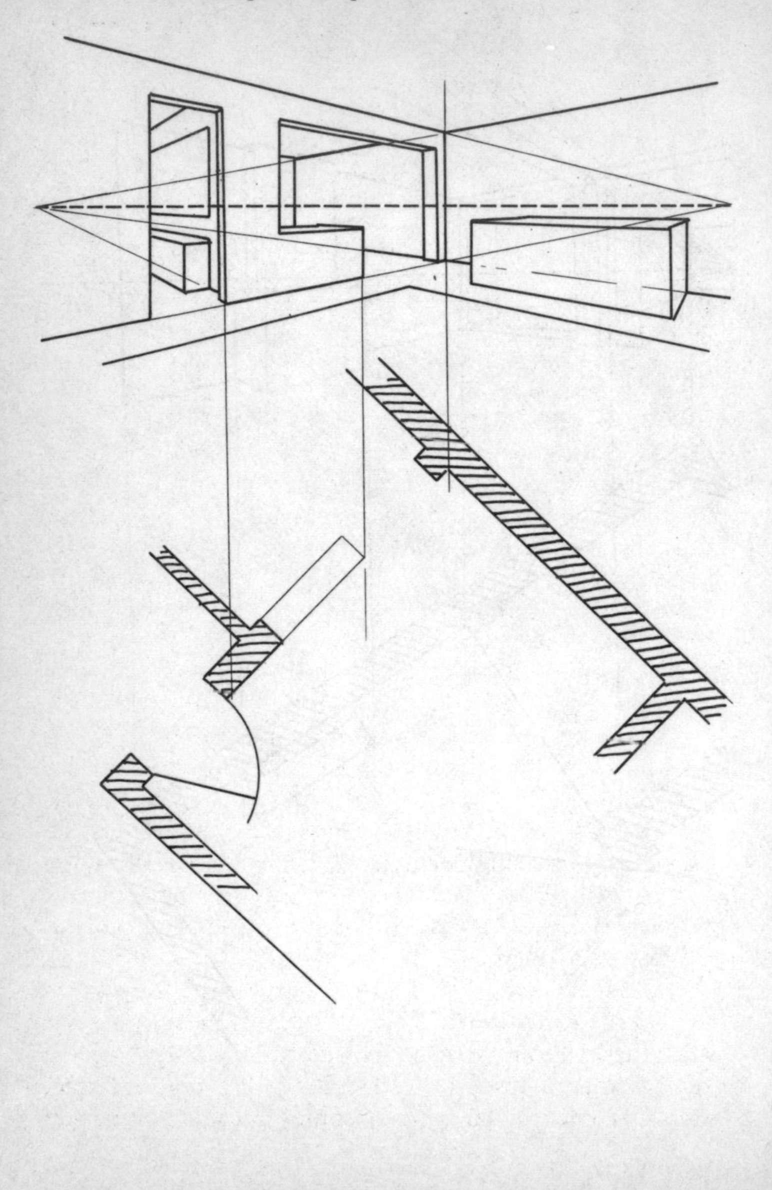

XIII

Dessin animé
Caricatures

Il y a le dessin et les à-côtés du dessin. Pour personnaliser la présentation de vos films de vacances, pour illustrer des menus, des invitations, des faire-part de naissance ou de mariage, rien de tels que les petits personnages et les animaux.

Le style de ces dessins est un peu celui de la bande dessinée. Des personnages simples et si possible drôles se découpant sur un fond qui peut servir pour plusieurs dessins.

Dans le même genre, vous pouvez aussi faire des panneaux pour décorer la chambre des enfants ou illustrer des fables ou des contes. Des personnages dessinés sur un carton peuvent être habillés ensuite avec des restants de tissus et coiffés d'une perruque de laine. Une frise murale peut être faite avec seulement deux ou trois personnages que vous emploirez à l'endroit ou à l'envers en changeant la forme et la couleur du vêtement.

Pour les doués, il y a aussi la caricature. Dans ce domaine très particulier il ne suffit pas de savoir dessiner pour réussir. Il faut avoir le sens du trait de caractère que l'on accentuera jusqu'à l'exagération. Un bon exercice, cette fois encore, consiste à copier plusieurs fois une bonne caricature et ensuite essayer de le faire de mémoire. Empruntez éventuellement le coup de crayon d'un caricaturiste célèbre mais n'oubliez pas de le lui rendre quand vous aurez trouvé le vôtre.

L'animation

Créez un petit personnage qui vous ressemble, de préférence. Faites-le très simple, afin de pouvoir, sans difficulté, lui donner différentes attitudes. Il vous servira dans de nombreuses circonstances et deviendra une sorte de petit emblème de la famille, que vos amis retrouveront dans vos films, sur vos invitations à dîner et même dans les livres que vous leur prêtez.

Pour faire les titres d'un film, comment procéder? Travaillez de préférence sur du cellulo. Faites un premier personnage qui représente la première image; faites

ensuite le dernier, c'est-à-dire la fin du geste. Vous pourrez ainsi très facilement intercaler les autres. Plus vous aurez de décomposition du mouvement, plus le geste sera naturel à la projection.

Si vous voulez que votre personnage évolue sur un fond — paysage ou autre —, il vous suffit de dessiner ce fond sur une autre feuille ; celui-ci restera fixe et le personnage en mouvement sera filmé en superposition.

- **Les petits personnages**

Ils se construisent exactement comme un personnage normal. Pour les rendre plus drôles, il suffit d'agrandir la tête, de laisser jambes et bras en fil de fer. On accentue aussi le caractère principal ; par exemple, l'attitude du peintre qui admire son travail ou le poids du sac sur le dos du campeur.

- **Petit personnage pour chambre d'enfant**

1. Construction normale d'un enfant.
2. On reprend l'essentiel de la première construction,

mais on agrandit la tête, on allonge légèrement les jambes par rapport au corps ; éventuellement, on cambre davantage. Achèvement : de grands yeux en demi-cercle placés un peu plus bas que la moitié du visage, le crâne plus rond, les cheveux stylisés, la robe plus raide, les jambes un peu trop longues et un peu trop droites, les chaussures réduites à deux demi-cercles.

- **Dessins pour enfants (animaux)**

Les dessins dits «pour enfants» sont bien souvent plus appréciés des grands. Les réussir demande moins de dons que la caricature mais beaucoup d'exercice. C'est en copiant les bons dessinateurs qu'on apprend. C'est à force de regarder comment Walt Disney fait rire un animal qu'on finit par y arriver aussi. Copiez un maximum *sans jamais décalquer !* Quand vous aurez fait dix fois le même dessin essayez de le faire sans regarder le modèle. Si vous y arrivez, c'est que vous avez compris la façon de procéder. Oubliez alors vos modèles et créez vos animaux, vos personnages.

La caricature

C'est un don... La ressemblance, bien souvent, ne repose que sur un détail caractéristique bien choisi.

L'illustration

Les sujets d'illustration sont infinis, surtout quand il s'agit d'histoires pour enfants : celles qui arrivent aux petits animaux et aux enfants. Pour vous mettre en train, commencez par les *Fables* de La Fontaine. Une seule image suffit en général pour les reconnaître.

RACONTES-MOI QUAND JE SERAI GRANDE...

Le matériel

• **Le papier :** pour le dessin — personnages ou animaux — il vaut mieux s'en tenir à un papier assez lisse ; par contre on peut varier les couleurs ou employer du blanc sur fond noir. Toutefois, certains papiers grainés peuvent produire des effets originaux avec un crayon gras ou un fusain.

• **Les crayons :** la variété des mines va du plus dur au plus tendre. La gradation généralement utilisée est la suivante : le crayon normal, celui utilisé notamment pour les crayons publicitaires, est un HB ou n° 2. C'est une mine moyenne qui convient à tous les usages. Les H, 2H, 3H etc. sont de plus en plus durs et conviennent pour un dessin de précision genre dessin documentaire. Les B, 2B, 3B etc. (marqués parfois aussi 0, 00, 000) sont de plus en plus tendres et seront employés pour le croquis rapide et le dessin ombré.

Ces règles sont valables pour la mine de plomb comme pour la mine compté.

• **L'encre de Chine** employée avec une plume, convient uniquement pour le dessin au trait et ne permet pas de nuances. Mais vous pouvez aussi vous en servir pour dessiner avec un bâtonnet dont vous aurez préalablement écrasé le bout. ou encore pour le dessin au pinceau japonais ou autre.

• **Les marqueurs :** depuis peu dans le commerce, des marqueurs pinceaux qui permettent plus de souplesse sans toutefois remplacer le pinceau.

• **Le fusain :** s'emploie aussi comme un crayon gras mais donne, à l'inverse du marqueur, de plus grandes possibilités de gris dans le modelé ; idéal pour bâtir une construction (portrait par exemple) parce qu'il s'efface plus facilement.

• **Le carton à gratter :** se vend en dimensions standard ; il est le plus souvent noir. Il se travaille avec une plume triangulaire (plume à gratter) ; le trait apparaît alors en blanc sur fond noir.

• **Les instruments** qu'on ne trouve pas dans le commerce. le bout de chiffon avec lequel on tamponne, le bout du doigt, la pomme de terre ou la frite qui s'emploie comme tampon après l'avoir trempée dans la couleur, et tous ceux que vous découvrirez vous-même.

• **Les procédés mécaniques :** Vous avez certainement déjà vu les cartes de lettres ou de chiffres de toutes sortes qu'on trouve à tous les rayons papeterie. Il s'agit d'un transfert à sec de la lettre sur votre feuille simplement en passant sur la lettre avec une spatule puis de retirer la feuille de protection. Mais il existe aussi toutes sortes de dessins : des frises et motifs décoratifs, des signes de musique, des panneaux de signalisation routière, des personnages, des arbres, des feuilles, des voitures et toutes sortes de grisés mécaniques.

Comment les utiliser

Le trait : contrairement à ce qu'on pourrait croire, un trait peut se faire de plusieurs façons : le trait «pur» est une ligne d'épaisseur égale très difficile à faire à main levée. Le trait «nuancé» est d'épaisseur variable. Il comporte, suivant le cas, des parties plus épaisses et plus foncées qu'on appelle les pleins, et des parties fines, plus claires, les déliés. Il est plus expressif que le trait pur, on l'utilise notamment pour :
— la délimitation ombre-lumière : du côté de l'ombre il sera plein; du côté de la lumière, plus fin et plus clair;
— l'impression d'éloignement : les personnages ou les animaux situés plus loin dans l'espace seront représentés en traits fins et clairs par opposition au trait plus vigoureux des objets au premier plan;
— La couleur : les tons clairs seront représentés en grisé clair, les tons sombres en gras noir. Il s'agit de représenter le sujet comme s'il était photographié en noir et blanc;
— la matière : une plume d'oiseau sera dessinée avec un trait léger et fin, tandis que les poils d'un bison par exemple, demanderont un trait plus lourd et plus noir.

Table des matières

Exercices de **hatha-yoga,** J. DIJKSTRA	MS 353	[06]
Secrets et merveilles du **jeu de dames,** H. CHILAND	MS 312	[08]
Le guide Marabout de tous les **jeux de cartes,** F. GERVER	MS 39	[09]
Jeux de lettres et d'esprit, M. LACLOS	MS 346	[03]
Le guide Marabout des **jeux de société,** M. CLIDIERE	MS 80	[08]
Le guide Marabout du **judo,** L. ROBERT	MS 25	[08]
Le guide Marabout du **Jiu-jitsu,** R. HABERSETZER	MS 308	[06]
Le guide Marabout du **karaté,** R. HABERSETZER	MS 118	[10]
Le guide Marabout du **kung fu et du tai ki,** B. TEGNER	MS 249	[04]
Le guide Marabout de la **magie et de la prestidigitation,** B. SEVERN	MS 302	[08]
Le guide Marabout de la **marche et du jogging,** P. MAURY	MS 385	[06]
Le guide Marabout du **modélisme,** P. NICOLAS	MS 447	[06]
100 problèmes de **mots-croisés,** M. LACLOS	MS 336	[02]
Le dictionnaire Marabout des **mots croisés,** L. & M. NOEL, T.1.	MS 184	[09]
Le dictionnaire Marabout des **mots croisés,** L. & M. NOEL, T.2.	MS 185	[09]
Le dictionnaire marabout des **mots croisés, noms propres,** L. & M. NOEL, T. 3	MS 186	[09]
Le guide Marabout de la **musique et du disque classique,** M. AYROLES	MS 387	[10]
Le guide marabout de la **musique et du disque de jazz,** M. BIDERBOST & G. CERUTTI	MS 372	[06]
Le guide Marabout de la **natation,** F. WATERMAN	MS 296	[06]
Le guide Marabout de la **navigation de plaisance,** J.M. BARRAULT	MS 343	[07]
Le guide Marabout de la **numismatique,**	MS 256	[09]
Le guide marabout de l'**ordinateur chez soi,** I. VIRGATCHIK	MS 492	N
Le guide Marabout de la **pêche,** E. LEJEUNE	MS 105	[09]
Le guide marabout de la **pêche en mer,** M. VAN HAVRE	MS 512	N
Le guide marabout de la **pêche en rivière, lacs, étangs,** M. VAN HAVRE	MS 513	N
Le guide Marabout du **permis de chasser,** M. VAN HAVRE	MS 397	[02]
Le guide Marabout des **permis motos,** B. & T. de SAULIEU & J. COUROUBLE	MS [illegible]	[illegible]
Le guide Marabout de la **philatélie,** P.J. MELVILLE	MS 284	[06]
Le guide Marabout de la **photographie,** M. BIDERBOST	MS 347	[07]
La **photo,** (Manuel de l'amateur), R. BELLON & L. FELLOT	MS 378	[04]
Les métiers de la **photo,** J. COUROUBLE & B. de SAULIEU	MS 489	[04]
Le guide marabout du **piano,** Y. SIMONOVNA & G. VLADIMIROVITCH	MS 485	N

Le guide Marabout de la **pipe et des tabacs,**
P. SABBAGH — MS 368 [06]
Le guide Marabout de la **planche à voile,**
J. & C. VAN NEVEL — MS 322 [04]
Le guide Marabout du **poker,** B. HANNUNA — MS 370 [04]
Le guide Marabout des **réussites et patiences,**
P. BERLOQUIN — MS 390 [04]
Scrabble, 100 problèmes variés, J.J. BLOCH — MS 335 [03]
Le guide Marabout du **scrabble,** M. CHARLEMAGNE — MS 313 [07]
Le guide Marabout de la **self-défense,**
R. HABERSETZER — MS 326 [07]
Le guide marabout du **ski de fond,** D. NEYS — MS 478 [07]
Skier en trois jours : les skis courts,
P. GRUNEBERG & R. BLANC — MS 268 [04]
Le **tennis,** technique, tactique, entraînement,
G. DENIAU — MS 358 [05]
Le **tennis par l'image,** I. Mc FADYEN — MS 511 N
Le guide Marabout du **tennis de table,**
J. PROUST — MS 433 [05]
Les **trains miniature,** M. CLEMENT — MS 522 N
Le guide Marabout du **vélo et du**
cyclotourisme, M. MEREJKOWSKY — MS 384 [06]
Le guide Marabout du **cinéma amateur**
et de la **vidéo,** M. BIDERBOST — MS 389 [06]
L'école de la **voile,** A. BROWN — MS 72 [08]
Le guide Marabout du **yoga,**
J. TONDRIAU & J. DEVONDEL — MS 79 [07]
Yoga pour elle, E. LONGUE — MS 399 [06]

Achevé d'imprimer sur les presses de **Scorpion,**
à Verviers pour le compte des nouvelles éditions **marabout.**
D. août 1982/0099/143
ISBN 2-501-00280-6